A Arte de Correr na Chuva

GARTH STEIN

A Arte de Correr na Chuva

Tradução
Elvira Serapicos

Ediouro

Título original: *The art of racing in the rain*

Publicado sob acordo com Lennart Sane Agency AB.
Publicado originalmente nos Estados Unidos pela HarperCollins*Publishers* 2008

Diretora
Janice Florido
Editora
Mariana Rolier
Assistente editorial
Fernanda Cardoso
Coordenadora de produção
Adriane Gozzo
Assistente de produção
Juliana Campoi
Editora de arte
Ana Dobón
Capa
© HarperCollins*Publishers*, Inglaterra
Imagens da capa
Corbis/LatinStock e Jupiter Images
Preparação de texto
Alessandra Miranda de Sá
Revisão
Flávia Schiavo
Produção editorial
S4 Editorial

DADOS INTERNACIONAIS DE CATALOGAÇÃO NA PUBLICAÇÃO (CIP)
(CÂMARA BRASILEIRA DO LIVRO, SP, BRASIL)

Stein, Garth
A arte de correr na chuva / Garth Stein; tradução Elvira Serapicos. — São Paulo : Ediouro, 2008.

Título original: The art of racing in the rain.
ISBN 978-85-00-02256-2

1. Romance norte-americano I. Título.

08-04982 CDD-813

Índice para catálogo sistemático:

1. Romances : Literatura norte-americana 813

Ediouro

Rua Nova Jerusalém, 345 – Bonsucesso
Rio de Janeiro, RJ – CEP 21042-235
Tel.: (21) 3882-8200 Fax: (21) 3882-8212/8313
www.ediouro.com.br

Querido leitor,

No verão de 1986, tive o imenso prazer de participar do Grande Prêmio de Fórmula 1 de Detroit. Estava acompanhando um amigo que tinha acesso a todos os lugares do circuito. Lembro-me de ter ficado atrás de uma barreira de concreto, maravilhado com quão pequenos, embora incrivelmente poderosos, os carros de Fórmula 1 eram. Tão rápidos e tão perto – a apenas um braço de distância...

Um piloto era, obviamente, mais rápido que os outros. Ele largou na *pole position* e, depois de perder muitas posições por causa de um problema no pneu, retomou a liderança e venceu a corrida. Lembro-me de ter visto seu capacete verde passando. Nunca tive o prazer de conhecer Ayrton Senna, mas tive o prazer de assistir à sua corrida... e de vê-lo vencer de maneira gloriosa.

Sou fã de Fórmula 1 desde menino e sempre gostei muito de assistir às corridas na tevê. Mas não há nada como ser fisgado. O cheiro, o som. Já participei de corridas em clubes, e estar dentro de um carro potente faz a adrenalina ficar a mil. São estes os sentimentos que tentei capturar em *A Arte de Correr na Chuva*. Quando o personagem Enzo surgiu na minha mente e começou a conversar comigo, percebi que era a voz perfeita para conduzir estes sentimentos.

Um cachorro é um observador elementar. Não tendo como pronunciar palavras, analisa tudo o que está à sua volta. Os sentidos de um cão são apuradíssimos. Seu foco é singular. Enzo, o cachorro do meu romance, é um verdadeiro estudante do mundo ao seu redor. E também um fã devoto da Fórmula 1. Seu herói? Ayrton Senna, claro!

Escrever este livro foi mágico para mim. Estou comovido por saber que pessoas em todo o mundo irão, em breve, ter contato com Enzo e sentirão a mesma alegria lendo sobre ele como me senti escrevendo a respeito dele. E estou especialmente grato por meu livro ser publicado no Brasil, pela incrível equipe da Ediouro, que sei é tão apaixonada quanto eu pelo livro *A Arte de Correr na Chuva*.

Minhas saudações,
Garth Stein

Prezado leitor,

Ayrton fez história. E uma história que não se resumiu às pistas de corrida.

A trajetória de meu irmão ajudou o País a ser mais conhecido e respeitado pelo público internacional.

De outro lado, alimentou no nosso povo um lado determinado, que supera desafios todos os dias para vencer.

Sendo piloto de F1, o tricampeão fez a sua parte. Ele emocionou e uniu toda uma nação em torno do sonho de um Brasil renovado.

Garra, determinação e superação são alguns dos valores que ele seguiu na vida e nas pistas. De cada erro, fez uma nova oportunidade para aprender e se superar. Depois de perder a liderança em uma corrida por causa da chuva, Ayrton decidiu que não deixaria, mais uma vez, que isso atrapalhasse seu desempenho. Determinado, treinou exaustivamente até atingir a perfeição. E passou a ser conhecido como o "Rei da Chuva".

Seu jeito insistente de ser atraiu e influenciou pessoas em todo o mundo. Pessoas como Garth Stein, que conheceu apenas o Ayrton das pistas e se inspirou em sua coragem e talento para escrever, com tanta sensibilidade, esta obra. Este livro aborda a importância das experiências provenientes do nosso aprendizado diário. A importância de se doar, de acreditar em um ideal.

Que cada leitor se identifique com algum ponto desta história e que não perca nunca a vontade de aprender e voar cada vez mais alto.

Viviane Senna
Presidente do Instituto Ayrton Senna

Com o poder da sua mente,
determinação, instinto e experiência,
você pode voar muito alto.

Ayrton Senna

Para Muggs

1

Os gestos são tudo que eu tenho; às vezes precisam ser de natureza ampla. E, apesar de passarem dos limites em algumas ocasiões e parecerem melodramáticos, são o que tenho para me comunicar claramente. Para me fazer entender sem que reste nenhuma dúvida. Não posso contar com as palavras, pois, horror dos horrores, minha língua é comprida, lisa e descoordenada, sendo, portanto, um instrumento absolutamente ineficiente para empurrar a comida dentro da minha boca enquanto mastigo, e ainda menos eficiente para produzir sons inteligentes e polissilábicos complexos que possam se unir para formar sentenças. E é por isso que estou aqui agora, esperando Denny chegar em casa — ele deverá chegar logo —, deitado nos ladrilhos do piso frio da cozinha em uma poça de minha própria urina.

Estou velho. E, embora esteja em condições de ficar ainda mais velho, não é assim que desejo ir embora. À base de injeções com remédios para a dor e esteróides para diminuir o inchaço das juntas. A visão nublada pela catarata. Tenho certeza de que Denny me daria um daqueles carrinhos que já vi na rua, aqueles que apóiam os quadris de modo que o cachorro consiga arrastar o traseiro quando as coisas começam a ficar realmente preocupantes. É uma situação constrangedora e degradante. Não sei se é pior do que vestir um cachorro com roupas de Halloween, mas está perto. Ele faria isso por amor, é claro. Tenho certeza de que faria qualquer coisa para me manter vivo pelo máximo tempo possível, com meu corpo se deteriorando, se desintegrando, se dissolvendo até que não restasse mais nada além do meu cérebro flutuando em um vidro cheio de líquido transparente, os globos oculares boiando na superfície e todos os tipos de cabos e tubos alimentando o que restasse. No entanto, eu não quero que me mantenham vivo. Porque sei o que vem depois. Eu vi na televisão. Um documentário sobre a Mongólia. Foi a melhor coisa que já vi na televisão, tirando o Grande Prêmio da Europa de 1993, é claro, a maior corrida de todos os tempos, em que Ayrton Senna mostrou que era um gênio na chuva. Depois do Grande Prêmio de 1993, o melhor programa a que assisti na televisão foi um documentário que explicava tudo, esclarecia pormenores, dizia toda a verdade: quando um cachorro termina a vida como cachorro, sua próxima encarnação será como homem.

Sempre me senti quase humano. Sempre soube que havia algo em relação a mim que era diferente dos outros cachorros. Certo, estou preso no corpo de um cachorro, mas trata-se apenas da carcaça. O que está dentro é que é importante. A alma. E a minha alma é muito humana.

Agora estou pronto para me tornar um homem, apesar de saber que perderei tudo que fui. Todas as minhas lembranças, toda a minha experiência. Gostaria de levá-las comigo para a minha nova vida — vivi tantas coisas com a família Swift... —, contudo não sou eu quem determina essas coisas. Que mais posso fazer senão me forçar a lembrar? Tentar gravar o que sei em minha alma, algo que não tem superfície, não tem lados, páginas ou forma de qualquer tipo. Levar as lembranças tão entranhadas nos bolsos da minha existência que, ao abrir os olhos e baixar o olhar para minhas novas mãos, com polegares capazes de se fechar em volta dos meus dedos, eu saberei. Já terei visto.

A porta abre e ouço seu chamado familiar:

— Ei, Zo!

Normalmente não resisto e deixo a dor de lado. Fico em pé, abano o rabo, penduro a língua e enfio o focinho no meio de suas pernas. É preciso ter força de vontade como a dos humanos para me controlar numa situação dessas, mas eu consigo. Eu me controlo. Não levanto; estou atuando.

— Enzo?

Ouço os passos, a preocupação em sua voz. Ele me encontra e olha para baixo. Levanto a cabeça, abano o rabo debilmente e o deixo ir ao chão. Cumpro meu papel.

Ele balança a cabeça e passa a mão pelo cabelo. Coloca de lado a sacolinha do mercado com seu jantar. Dá para sentir o cheiro de frango assado que vem de lá. Esta noite ele vai comer frango assado e salada de alface.

— Ah, Enz — ele suspira.

Ele estende o braço, agacha, toca a minha cabeça, passa a mão na dobra atrás da orelha, e eu levanto a cabeça. Dou uma lambida em seu braço.

— O que foi que aconteceu, garoto? — ele pergunta.

Os gestos não bastam para explicar.

— Você consegue se levantar?

Eu tento e me atrapalho. Meu coração vai a mil, dispara, porque não, não consigo. Entro em pânico. Pensei que estivesse apenas fingindo, mas não consigo mesmo levantar. Merda. É a vida imitando a arte.

— Calma, garoto — ele diz com a mão no meu peito para eu me acalmar. — Peguei você.

Ele me levanta com facilidade, me carrega, e consigo sentir o cheiro do seu dia em seu corpo. Posso sentir tudo que ele fez. Seu trabalho, a loja de automóveis onde ele passa o dia inteiro atrás do balcão, em pé, sendo gentil com os clientes que gritam com ele porque seus BMWs não estão funcionando perfeitamente e eles gastam muito para mandar consertá-los; por isso ficam irritados e precisam gritar com alguém. Posso sentir o almoço. Ele foi até seu restaurante indiano preferido. Comida à vontade. Tudo que você conseguir comer. É barato, e às vezes ele leva um potinho e pega umas porções extras de frango assado em *tandoor* e arroz amarelo, e traz para o jantar. Dá para sentir o cheiro de cerveja. Ele parou em algum lugar. O restaurante mexicano no alto da colina. Posso sentir o cheiro de *tortilla* em seu hálito. Agora tudo faz sentido. Normalmente, tenho excelente percepção logo no primeiro contato, mas não estava prestando atenção por causa das minhas emoções.

Ele me coloca gentilmente na banheira e liga aquela coisa de lavar com a mão. Diz:

— Calma, Enz. — Continua: — Desculpe ter demorado. Eu devia ter vindo direto pra casa, mas os caras lá do trabalho insistiram. Eu disse para o Craig que estava saindo, e...

As palavras se perdem no ar e percebo que ele acha que aquele contratempo aconteceu porque ele se *atrasou*. Oh, não. Isso não devia estar acontecendo. É tão difícil a gente se fazer entender porque são tantas as partes subjetivas. Existe a explicação e existe a interpretação, e elas dependem tanto uma da outra que as coisas ficam muito complicadas. Eu não queria que ele se sentisse mal a respeito disso. Queria que ele visse o óbvio, que estava tudo bem em me deixar partir. Ele tinha passado por tanta coisa, e finalmente tudo havia chegado ao fim. Era preciso que eu não estivesse mais por perto para ele não se preocupar. Ele precisava que eu o libertasse para brilhar.

Ele é tão brilhante! É um ser iluminado. É bonito com suas mãos que sabem pegar coisas e sua língua que articula palavras e a maneira como ele fica em pé e mastiga a comida durante tanto tempo, amassando-a numa pasta antes de engolir. Vou sentir falta dele e da pequena Zoë, e sei que eles vão sentir minha falta. Mas não posso deixar que o sentimentalismo estrague meu grande plano. Depois que isso acontecer, Denny ficará livre para viver sua vida, e eu vou voltar para a Terra em uma nova forma, como homem, e vou encontrá-lo e cumprimentá-lo com a mão e comentar o quanto ele é talentoso, e então vou piscar para ele e dizer:

— Enzo mandou um “oi”.

Vou me virar e me afastar depressa, e ele vai gritar:

— Eu conheço você? Nós já nos encontramos antes?

Depois do banho, ele limpa o chão da cozinha enquanto fico olhando; ele me dá comida, que como muito depressa como sempre, e me coloca na frente da TV enquanto prepara seu jantar.

— Que tal uma fita? — ele pergunta.

— Sim, uma fita — respondo, mas é claro que ele não me ouve.

Ele coloca uma fita de vídeo de uma das suas corridas, liga o aparelho e nós assistimos. É uma das minhas favoritas. A pista está seca para a volta de aquecimento, e então, assim que a bandeira verde é erguida, indicando o início da corrida, o mundo desaba, uma chuva torrencial invade a pista, e todos os carros ao seu redor começam a rodar descontrolados na direção da grama, enquanto ele passa por eles como se a chuva não estivesse caindo em cima dele também, como se houvesse um feitiço mágico para tirar a água do seu caminho. Exatamente como no Grande Prêmio da Europa de 1993, quando Senna passou quatro carros na volta de abertura, quatro dos mais renomados pilotos do campeonato com seus renomados carros oficiais: Schumacher, Wendlinger, Hill e Prost; ele passou todos. Como se tivesse um feitiço mágico.

Denny é tão bom quanto Ayrton Senna. Mas ninguém o vê porque ele tem responsabilidades. Tem sua filha, Zoë, e tinha sua mulher, Eve, que ficou doente e morreu, e tem a mim. E mora em Seattle, quando deveria morar em outro lugar. Ele tem um emprego. Mas às vezes, quando sai, volta com um troféu e o mostra para mim, e me conta tudo sobre as corridas e como brilhou na pista e ensinou aos outros pilotos em Sonoma, ou Texas ou Ohio, como é dirigir na chuva.

Quando a fita termina, ele fala:

— Vamos dar uma volta.

Luto para ficar em pé.

Ele ergue meu traseiro no ar e centraliza meu peso sobre as pernas; aí eu fico bem. Para mostrar, esfrego o focinho na sua coxa.

— Esse é o meu Enzo.

Saímos do apartamento; a noite está limpa, fria e clara, e com um ventinho. Mal chegamos ao fim do quarteirão e já voltamos porque meus quadris doem muito, e Denny percebe. Denny sabe. Quando chegamos em casa, ele me dá meus biscoitinhos da hora de dormir e eu me enrolo na minha cama no chão perto da dele. Ele pega o telefone e faz a ligação.

— Mike — diz ele. Mike é o amigo de Denny da loja onde os dois trabalham atrás do balcão. Relacionamento com o cliente, é como eles chamam o que fazem. Mike é um sujeito pequeno com mãos cor-de-rosa amigáveis, sempre lavadas e sem cheiro. — Mike, você pode me cobrir amanhã? Tenho que levar o Enzo até o veterinário de novo.

Temos ido muito ao veterinário ultimamente para pegar remédios diferentes que teoricamente deveriam me ajudar a me sentir mais confortável, mas isso não acontece, mesmo. E, como eles não fazem efeito, e considerando tudo que ocorreu ontem, coloquei em funcionamento o Plano Mestre.

Denny pára de falar por um momento, e, quando torna a conversar, a voz não parece ser sua. É rouca, como se estivesse resfriado ou com alguma alergia.

— Não sei — ele responde. — Não tenho certeza se é uma viagem de ida e volta.

Posso não ser capaz de formar palavras, mas consigo entendê-las. E fiquei surpreso com o que ele falou, apesar de já ter imaginado.

Por um momento, fiquei surpreso com o fato de meu plano estar funcionando. É a melhor coisa para todos os envolvidos, eu sei. É o que Denny deve fazer. Ele já fez tanto por mim, durante toda a minha vida. Eu lhe devo isso, o direito de ficar livre. O direito de passar para outra etapa. Fizemos uma boa corrida, e agora acabou; qual é o problema?

Fecho meus olhos e, meio sonolento, escuto vagamente enquanto ele faz as coisas que costuma fazer todas as noites antes de dormir. A escova, a torneira, a descarga. Tantas coisas. As pessoas e seus rituais. Às vezes elas se apegam tanto às coisas!

2

Ele me pegou no meio de uma porção de filhotes, um amontoado confuso de patas, orelhas e rabos, atrás de um celeiro, em um sítio malcheiroso perto de uma cidade no lado leste de Washington chamada Spangle. Não me lembro muito bem de onde tinha vindo, mas me lembro da minha mãe, um labrador pesadão com tetas penduradas que balançavam para a frente e para trás enquanto meus irmãos de ninhada e eu andávamos atrás dela pelo quintal. Francamente, nossa mãe não parecia gostar muito da gente, e não se importava se estávamos comendo ou morrendo de fome. Ela parecia aliviada sempre que um de nós ia embora. Um animal a menos para latir e andar atrás dela para arrancar seu leite.

Nunca conheci meu pai. As pessoas da fazenda disseram a Denny que ele era uma mistura de poodle com pastor, mas eu não acredito. Nunca vi um cachorro que se parecesse com essa descrição na fazenda e, apesar de a dona ser bacana, o homem alfa era um canalha mesquinho capaz de olhar os outros nos olhos e mentir mesmo que ganhasse mais contando a verdade. Ele discorria longamente a respeito da inteligência relativa das raças de cães, e acreditava com veemência que os pastores e os poodles eram os mais espertos, e por isso seriam mais desejados — além de mais valorizados — quando "puxassem o labrador no temperamento". Um monte de palavras inúteis. Todo mundo sabe que os pastores e os poodles não são particularmente espertos. Eles apenas respondem e reagem, não são pensadores independentes. Principalmente os pastores australianos de olhos azuis, que as pessoas tanto elogiam quando tentam pegar um *frisbee*. Certo, eles são espertos e rápidos, mas não conseguem ir além; são muito limitados.

Tenho certeza de que meu pai era um terrier. Porque os terriers resolvem os problemas. Eles fazem o que lhes mandam, mas apenas se estiverem de acordo com o que querem fazer. Havia um terrier desse tipo na fazenda. Um airedale terrier. Grande, castanho-escuro e forte. Ninguém mexia com ele. Não ficava conosco no espaço cercado atrás da casa. Ficava no celeiro, na descida da colina perto do lago, onde os homens iam consertar os tratores. No entanto, às vezes ele subia a colina, e, quando vinha, todos saíam da frente. Dizia-se na fazenda que era um cão de briga que o homem alfa mantinha separado porque havia matado um cachorro que se metera a farejar em sua direção. Era capaz de arrancar o pêlo da nuca de alguém por causa de um olhar qualquer. E, quando uma cadela estava no cio, ele a montava e fazia seu serviço sem se importar com quem estivesse olhando ou com o fato de estar causando incômodo. Sempre imaginei que ele poderia ser meu pai. Tenho sua cor castanho-escura e meu pêlo é meio crespo, e as pessoas comentam que devo ter uma parte terrier. Gosto de imaginar que procedo de uma fonte de genes privilegiados.

Lembro do calor que fazia no dia em que deixei a fazenda. Todos os dias eram quentes em Spangle, e eu havia determinado que o mundo era um lugar quente simplesmente porque nunca soubera o que era frio. Nunca tinha visto chuva, não sabia muita coisa sobre água. Água era aquele negócio nos baldes que os cães mais velhos tomavam, e era o negócio que o homem alfa jogava com a mangueira em cima dos cachorros que queriam começar a brigar. Mas no dia em que Denny chegou fazia calor demais. Eu e meus irmãos de ninhada estávamos lutando como de costume quando a mão de alguém entrou no meio e agarrou meu pescoço. De repente, eu balançava no ar.

— Este aqui — disse um homem.

Foi o primeiro vislumbre do que seria o resto da minha vida. Ele era esguio, com músculos definidos e enxutos. Não era um homem grande, mas tinha um semblante determinado. Seus olhos, azul-claros, possuíam um brilho inteligente. O cabelo era crespo e curto; a barba cerrada, escura e encaracolada, como um terrier irlandês.

— O favorito da ninhada — disse a senhora. Ela era legal; eu gostava quando nos aninhávamos em seu colo macio. — O mais doce. O melhor.

— *Távamos* pensando que nós *podia* ficar com ele — comentou o homem alfa, aproximando-se com suas botas grandes cobertas com a lama do lago onde estava arrumando uma cerca. Ele sempre falava isso. Caramba, eu era um bichinho com apenas 12 semanas de vida e já tinha ouvido aquela frase uma porção de vezes. Ele dizia isso para conseguir mais dinheiro.

— Eu poderia levá-lo?

— Por um bom preço — respondeu o homem alfa, desviando os olhos na direção do céu, de um azul muito claro por causa da luz do sol. — Por um bom preço.

3

— Com muito cuidado. Como se tivesse casca de ovo nos pedais — Denny sempre diz — e você não quisesse quebrá-la. É *assim* que você dirige na chuva.

Quando assistimos às fitas de vídeo juntos — algo que fazemos desde o primeiro dia em que nos conhecemos —, ele explica essas coisas para mim. (Para mim!) Equilíbrio, expectativa, paciência. Isso tudo é vital. Visão periférica, para poder ver o que você nunca viu antes. Sensação sinestésica, para pilotar instintivamente. Mas o que eu mais gostava era quando ele falava em não ter lembranças. Nenhuma lembrança do que ele tinha acabado de fazer. Fossem boas ou ruins. Porque a lembrança é o tempo se dobrando sobre si mesmo. Lembrar é se desligar do presente. Para conseguir qualquer tipo de sucesso em corridas de carro, o piloto não pode lembrar.

É por isso que os pilotos gravam compulsivamente cada movimento seu, cada corrida sua, com câmeras no *cockpit*, vídeos do interior do carro, mapeamento de dados; um piloto não pode ser testemunha de sua própria grandeza. Isso é o que diz Denny. Ele diz que correr é fazer. É ser parte de um momento e não ter consciência de nenhuma outra coisa naquele momento. Os pensamentos ficam para depois. O grande campeão Julian SabellaRosa disse:

— Quando estou correndo, e minha mente e meu corpo estão trabalhando tão intensamente e tão bem juntos, preciso me assegurar de não pensar, ou posso cometer algum erro.

4

Denny me levou para muito longe da fazenda em Spangle, para um bairro em Seattle chamado Leschi, onde ele morava em um pequeno apartamento alugado perto do lago Washington. Eu não gostava muito de viver em apartamento porque estava acostumado com espaços amplos e abertos, e, além disso, ainda era filhote; mas tínhamos uma varanda com vista para o lago, o que me dava grande prazer, pois sou um cão que adora a água, um grande nadador por parte de mãe.

Cresci depressa e, durante aquele primeiro ano, Denny e eu desenvolvemos uma profunda afeição um pelo outro, e também um sentimento de confiança. Foi por causa desse fato que fiquei surpreso quando ele se apaixonou por Eve tão depressa.

Ele a trouxe para casa e ela tinha um cheiro bom, como o dele. Quando ficavam cheios de bebidas fermentadas, agiam de modo engraçado: se agarravam como se houvesse roupa demais entre eles e ficavam se abraçando, se agarrando, se mordendo e enroscando os dedos e puxando os cabelos um do outro, encostando os ombros e os pés e trocando saliva. Caíam na cama e ele montava nela. Ela gritava:

— O campo é fértil; tome cuidado!

E ele respondia:

— Eu adoro a fertilidade.

E ele arava o campo até agarrar os lençóis com as mãos, para depois arquear as costas e gritar de prazer.

Quando levantava para ir ao banheiro, dava um tapinha na minha cabeça, que não ficava muito longe do chão, pois eu ainda era muito novo, com pouco mais de um ano, e estava um pouco intimidado e encolhido com todos aqueles gritos. Ela perguntava:

— Você não liga se eu o amar também, não é mesmo? Não vou ficar entre você dois.

Eu a respeitava por perguntar, mas sabia que *ficaria* entre nós, e considerava aquela negativa profilática apenas uma enganação.

Tentava não agir de maneira pouco amistosa porque sabia o quanto Denny estava apaixonado por ela. No entanto, devo admitir que não apreciava sua presença. E por causa disso ela também não me apreciava. Éramos satélites em torno de Denny, lutando pela supremacia gravitacional. É claro que ela tinha a vantagem da língua e dos polegares, e, quando ela o beijava ou acariciava, de vez em quando olhava para mim e piscava, como se dissesse: *Olhe para os meus polegares! Veja o que eles podem fazer!*

5

Os macacos têm polegares.

Praticamente a espécie mais idiota do planeta, só perde para o ornitorrinco, que constrói seus esconderijos embaixo da água apesar de precisar de ar para respirar. O ornitorrinco é terrivelmente estúpido, mas é só um pouco mais idiota que um macaco. E mesmo assim os macacos têm polegares. Esses polegares de primata deviam ser dos cachorros. *Quero meus polegares, malditos macacos!* (Adoro o *remake* de *Scarface*, com Al Pacino, muito mesmo, mas não se compara aos filmes da trilogia de *O Poderoso Chefão*, que são excelentes.)

Eu assisto muito à TV. Quando Denny sai de manhã, liga a televisão para mim; tornou-se um hábito. Ele me avisou para não ficar em frente à TV o dia inteiro, mas eu fico. Felizmente ele sabe que adoro carros, por isso me deixa assistir bastante ao *Speed Channel*. O melhor do canal são as corridas clássicas. Gosto principalmente de Fórmula 1. Também gosto da Nascar, mas prefiro os circuitos de rua. Apesar de as corridas serem meu programa favorito, Denny me disse que era bom ter um pouco de variedade na minha vida, então de vez em quando coloca em outros canais, dos quais também gosto muito.

Às vezes, quando estou assistindo ao *History Channel* ou a algum canal educativo, ou mesmo a um canal infantil — quando Zoë era pequena, eu passava metade do dia tentando arrancar musiquinhas idiotas da minha cabeça —, aprendo um pouco a respeito de outras culturas e outros modos de vida, e começo a pensar sobre meu próprio lugar neste mundo e o que faz ou não sentido.

Eles falam muito de Darwin; quase todos os canais educativos têm algum tipo de programa sobre a evolução em algum momento, e normalmente são bem-feitos e bem pesquisados. Mas não entendo por que as pessoas insistem em colocar os conceitos de evolução e criação um contra o outro. Por que não conseguem ver que espiritualismo e ciência são uma coisa só? Que os corpos evoluem e as almas evoluem, e o Universo é um lugar fluido que junta os dois em um pacote maravilhoso chamado ser humano? O que há de errado com essa idéia?

Os teóricos da ciência ficam falando que os macacos são os parentes evolucionários mais próximos das pessoas. No entanto, isso é especulação. Dizem isso baseados em quê? No fato de terem encontrado alguns crânios antigos considerados similares ao do homem moderno? O que isso prova? Baseados no fato de que alguns primatas caminhavam com duas pernas? Ser bípede sequer é uma vantagem. É só olhar para os pés humanos, cheios de dedos tortos e depósitos de cálcio, e o pus saindo de unhas encravadas que nem são duras o bastante para arranhar a terra. (E, mesmo assim, mal posso esperar a hora em que minha alma habitará um desses corpos bípedes mal planejados e assumirá as preocupações de qualquer humano com a própria saúde!) Portanto, e daí se o homem evoluiu dos macacos? Se ele veio dos macacos ou dos peixes, isso não tem relevância. O importante é que, quando o corpo se tornou suficientemente "humano", a primeira alma humana se enfiou dentro dele.

Vou lhe dizer qual é a teoria: o parente mais próximo do homem não é o chimpanzé, como acreditam as pessoas da TV, e sim, na verdade, o cachorro.

Acompanhe meu raciocínio:

Exemplo n. 1: O quinto dedo

Na minha opinião, o chamado quinto dedo, que freqüentemente é arrancado da pata dianteira do cachorro no início da vida, na verdade é uma evidência de um polegar pré-emergente. Além disso, acredito que os homens vêm sistematicamente eliminando o polegar de certas linhagens de cães através de um processo cuidadosamente planejado chamado "criação seletiva" *a fim de evitar que os cães evoluam e adquiram habilidades, transformando-se em mamíferos "perigosos".*

Também acredito que a contínua domesticação (se é que você se dá ao trabalho de usar esse eufemismo bobo) dos cães pelos homens é motivada pelo medo: medo de que os cães, evoluindo por conta própria, desenvolvam, de fato, polegares e línguas menores, tornando-se assim superiores aos homens, que são lentos e desajeitados, mesmo sendo bípedes. É por isso que os cães têm de viver sob a constante supervisão das pessoas, e são imediatamente sacrificados quando descobrem que estão vivendo de maneira independente.

Pelo que Denny me contou a respeito do governo e de como ele funciona, acredito que esse plano desprezível deve ter sido elaborado numa sala obscura da Casa Branca, possivelmente por um conselheiro diabólico para um presidente de moral e força intelectual questionáveis, e provavelmente de acordo com a premissa correta — mas, infelizmente, tomado pela paranóia em lugar de uma percepção espiritual — de que *todos os cães têm uma inclinação progressista no que diz respeito às questões sociais.*

Exemplo n. 2: O lobo

A lua cheia aparece. A neblina cobre até os galhos mais baixos dos abetos. O homem sai do canto mais sombrio da floresta e descobre que se transformou em um...

Macaco?

Acho que não.

6

Seu nome era Eve e no começo fiquei ressentido pela maneira como ela havia transformado nossa vida. Fiquei ressentido com a atenção que Denny dava às suas pequenas mãos, às suas nádegas redondas, rechonchudas, e aos seus quadris modestos. A maneira com que ele fitava aqueles seus olhos verdes e doces, que olhavam por baixo dos fios de cabelo louro liso. Será que eu estava com inveja do seu sorriso cativante que eclipsava tudo que não fosse absolutamente especial? Provavelmente. Porque ela era uma pessoa. Ao contrário de mim. Ela era muito bem cuidada. Ao contrário de mim. Ela era tudo que eu não era. Eu ficava muito tempo sem cortar o pêlo ou tomar um banho, por exemplo; ela tomava banho todos os dias e tinha uma pessoa especial que não fazia outra coisa além de pintar seu cabelo do jeito que Denny gostava. Minhas unhas cresciam muito e arranhavam o piso de madeira; ela sempre cortava suas unhas, e as lixava e pintava para que ficassem com o tamanho e a forma desejados.

A atenção que ela dava a cada detalhe da sua aparência também se refletia em sua personalidade: era extremamente organizada, meticulosa, estava sempre fazendo listas e anotações de coisas que precisavam ser feitas ou retiradas ou consertadas, criando o que chamava de listas "faça-querido" para Denny e eu, de forma que os nossos fins de semana incluíam invariavelmente uma ida à loja de material de construção ou a uma dessas lojas do tipo "faça você mesmo", em Georgetown. Eu não gostava de pintar paredes e consertar maçanetas e lavar tecidos. Mas Denny, aparentemente, gostava, pois, quanto mais coisas ela lhe dava para fazer, mais depressa ele executava suas tarefas para pegar a recompensa, que normalmente incluía muitos carinhos e chamegos.

Logo depois que ela se mudou para o nosso apartamento, eles organizaram uma pequena cerimônia de casamento, à qual compareci com um pequeno grupo composto dos amigos mais íntimos e familiares mais próximos de Eve. Denny não tinha irmãos ou irmãs para convidar, e explicou a ausência de seus pais dizendo que não gostavam de viajar.

Os pais de Eve deixaram claro para todos os presentes que a residência onde se realizara a cerimônia, uma pequena e charmosa casa de praia na Whidbey Island, pertencia a amigos muito próximos que não estavam presentes. Só permitiram que eu participasse desde que seguisse regras estritas: não poderia andar solto pela praia ou nadar na baía; se o fizesse, poderia trazer areia para o luxuoso piso de mogno. E fui obrigado a urinar e defecar num local bastante específico: perto dos contêineres de lixo reciclável.

Quando voltamos de Whidbey, percebi que Eve havia se mudado para o nosso apartamento com uma noção muito estruturada de autoridade, e que ela se sentia bem à vontade para mudar ou substituir as coisas: toalhas, lençóis e até a mobília. Ela havia entrado em nossas vidas e mudado tudo ao redor. E, apesar de estar infeliz com essa intromissão, havia alguma coisa nela que me impedia de sentir raiva de verdade. Acho que essa coisa era sua barriga inchada.

Havia algo no esforço que ela precisava fazer para deitar de lado para descansar, no jeito como seus seios se penduravam no peito quando ela deitava na cama. Isso me fazia lembrar a minha mãe na hora de comer, quando ela suspirava e deitava no chão, levantando a perna para expor os mamilos para nós. *Esses são os instrumentos que tenho para alimentar vocês. Agora, comam!* E apesar de ressentido com a atenção que Eve dedicava ao bebê que ainda não tinha nascido, percebo agora que jamais havia lhe dado razão para me dar o mesmo tipo de atenção. Talvez seja essa minha angústia: adorava o seu jeito quando estava grávida; apesar disso, sabia que jamais poderia ser a razão daquele tipo de afeto porque jamais poderia ser seu filho.

Ela se dedicou ao bebê mesmo antes de ele nascer. Ela o tocava constantemente através da sua pele esticada. Cantava e dançava para ele com a música que colocava no aparelho de som. Aprendeu a fazer com que se mexesse tomando suco de laranja, o que ela fazia toda hora, explicando para mim que as revistas de saúde diziam que ela devia tomar o suco por causa do ácido fólico, mas tanto ela quanto eu sabíamos que ela fazia aquilo por causa dos chutes. Uma vez ela me perguntou se eu queria saber como era, e eu fiz que sim; então ela encostou meu focinho na sua barriga depois de ter tomado o ácido, e eu senti ele se mexer. Um ombro, eu acho, empurrando para fora, como algo que estivesse tentando sair da tumba. Para mim, era difícil imaginar o que poderia estar acontecendo atrás de uma cortina como aquela, dentro da cartola mágica de Eve, onde o pequeno coelho estava sendo gerado. Mas eu sabia que o que estava dentro dela era alguma coisa separada dela, e tinha vontade própria e se mexia quando queria — ou quando era estimulada pelo ácido —, e estava além do seu controle.

Admiro o sexo feminino. Artesãs de vidas. Deve ser incrível ter um corpo que pode carregar uma criatura inteira em seu interior. (Quer dizer, uma criatura diferente da solitária que eu tive. Isso não conta como outra vida. É um parasita e nem devia estar onde estava, para começo de conversa.) A vida que Eve tinha dentro de si era algo que ela havia feito. Ela e Denny tinham feito juntos. Eu desejei, na época, que o bebê nascesse parecido comigo.

Eu me lembro do dia em que o bebê chegou. Tinha acabado de me tornar adulto — dois anos pela contagem do calendário. Denny estava em Daytona, na Flórida, para a corrida mais importante de sua carreira. Ele tinha passado o ano inteiro atrás de patrocinadores, pedindo, implorando, brigando, até que tinha dado sorte e encontrado a pessoa certa no saguão de hotel certo, que disse:

— Você tem culhões, rapaz. Telefone pra mim amanhã.

Dessa maneira, ele tinha encontrado o patrocinador que procurava havia tanto tempo para lhe dar dinheiro suficiente para sentar em um Porsche 993 para correr no Rolex 24 Horas de Daytona.

As corridas de resistência não são para os bonzinhos. Quatro pilotos se revezando a cada seis horas atrás do volante de um carro de corrida caro, instigante, potente e barulhento num exercício de coordenação e determinação. As 24 Horas de Daytona, corrida transmitida pela televisão, é tão imprevisível quanto excitante. O fato de Denny ter tido a chance de pilotar no mesmo ano do nascimento de sua filha era uma dessas coincidências que mexem com a imaginação da gente: Eve ficou frustrada com a infeliz coincidência dos acontecimentos; Denny celebrou a oportunidade maravilhosa e a sensação de que tinha tudo que poderia desejar.

Ainda assim, a sincronização foi complicada. No dia da corrida, apesar de faltar uma semana para a data programada, Eve sentiu as contrações e chamou as parteiras, que invadiram nossa casa e tomaram conta do lugar. Naquela noite, enquanto Denny, sem dúvida alguma, corria no circuito de Daytona e vencia a corrida, Eve ficou se contorcendo sobre a cama com as duas senhoras roliças tentando ajudá-la, segurando seus braços, com uma barriga monstruosa, durante quase uma hora, até sair uma bola humana ensangüentada, que se mexeu com movimentos espasmódicos até chorar. As senhoras ajudaram

Eve a se deitar e colocaram a coisinha vermelha do seu lado até que a boca do bebê encontrou o mamilo de Eve e começou a chupar.

— Posso ficar alguns minutos a sós? — Eve começou a falar.

— É claro — respondeu uma das senhoras, se dirigindo à porta.

— Venha conosco, cachorrinho — falou a outra senhora, enquanto saía.

— Não — Eve lhes disse. — Ele pode ficar.

Eu podia ficar? Sem querer, eu me senti orgulhoso por ter sido incluído no círculo íntimo de Eve. As duas senhoras saíram para cuidar do que quer que tivessem para cuidar, e eu fiquei olhando fascinado enquanto Eve amamentava seu bebê. Depois de alguns minutos, desviei a atenção da primeira refeição do bebê e reparei no rosto de Eve, e notei que ela chorava; fiquei pensando qual seria o motivo.

Ela deixou a mão solta cair ao lado da cama, os dedos perto do meu focinho. Eu hesitei. Tinha receio de deduzir que ela estivesse à minha disposição. Mas aí ela mexeu os dedos e seus olhos encontraram os meus, e eu soube que ela estava me chamando. Encostei meu nariz em sua mão. Ela colocou os dedos no alto da minha cabeça e fez um carinho, ainda chorando, o bebê ainda mamando.

— Eu sei que disse a ele para ir — ela falou. — Sei que insisti para ele ir, eu sei. — As lágrimas escorriam por seu rosto. — Mas eu queria tanto que ele estivesse aqui!

Não tinha idéia do que fazer, mas sabia que não podia me mexer. Ela precisava de mim ali.

Ela não estava falando comigo. Falava com Denny, e eu era apenas um suplente de Denny. Ainda assim, senti que tinha essa obrigação. Eu sabia que, por ser um cachorro, jamais conseguiria interagir com a humanidade como realmente desejava. Mesmo assim, percebi naquele momento que eu poderia ser algo mais. Poderia dar às pessoas que me cercavam algo de que precisassem. Poderia confortar Eve quando Denny estivesse longe. Poderia proteger o bebê de Eve. E, apesar de sempre ter desejado mais, de certa forma eu havia encontrado um lugar para começar.

Denny saiu de Daytona, Flórida, no dia seguinte, e veio para casa, infeliz. Seu humor mudou completamente quando segurou sua bebezinha, que ele chamou de Zoë, não em minha homenagem, mas em homenagem à avó de Eve.

— Você viu o meu anjinho, Enz? — ele perguntou.

Se eu tinha *visto*? Eu praticamente *trouxera* aquele bebê ao mundo!

Denny passou cuidadosamente pela cozinha quando voltou, como se andasse sobre uma fina camada de gelo. Os pais de Eve, Maxwell e Trish, tinham vindo para casa quando o bebê nascera para tomar conta da filha e da neta. Resolvi chamá-los de Gêmeos porque eram muito parecidos, com o mesmo tom de cabelo tingido, e porque estavam sempre usando roupas que combinavam: calças cáqui ou de poliéster com suéteres ou camisetas pólo, tudo combinando. Quando um colocava os óculos de sol, o outro também colocava. O mesmo acontecia quando colocavam bermudas e meias compridas até os joelhos. E porque os dois tinham cheiro de produtos químicos: produtos para o cabelo à base de amônia.

Desde o instante que chegaram, os Gêmeos vinham repreendendo Eve por ter tido o bebê em casa. Eles disseram que ela havia colocado em risco o bem-estar do bebê e que isso numa época moderna era uma irresponsabilidade, dar à luz em outro lugar que não fosse o melhor dos hospitais, com o médico mais caro. Eve tentou explicar que as estatísticas mostravam que, em se tratando de uma mãe saudável, o certo era exatamente o contrário, e que, se houvesse qualquer sinal de complicação, sua equipe de parteiras licenciadas extremamente experiente teria percebido logo, mas eles se recusavam a reconhecer isso. Felizmente, para Eve, a chegada de Denny significava que os Gêmeos iriam desviar sua atenção dos defeitos dela e concentrar-se nos dele.

— Isso é que é falta de sorte — Maxwell disse para Denny quando se encontraram na cozinha. Maxwell se regozijava. Eu podia sentir no seu tom de voz.

—Você vai conseguir reaver algum dinheiro? —Trish perguntou.

Denny estava perturbado, e não entendi muito bem qual era o motivo até Mike aparecer naquela noite e eles começarem a tomar cerveja. Acontece que Denny iria ser o terceiro a dirigir o carro, que estava indo muito bem; tudo estava ótimo. Estavam em segundo lugar na classe, e Denny assumiria facilmente a liderança quando a luz do sol fosse embora e começasse a direção noturna. Isso se o piloto do segundo turno não tivesse arrebentado o carro contra a parede na sexta curva do circuito.

Ele encostou quando estava sendo alcançado por um protótipo de Daytona, um carro muito mais rápido. Primeira regra de uma corrida: nunca encoste para deixar alguém passar; *obrigue-o a passar você*. Mas o piloto da equipe de Denny encostou e bateu nas bolas de gude, que é como eles chamam os pedaços de borracha que se soltam dos pneus e que vão se acumulando ao lado da pista. Ele bateu nas bolas de gude e a traseira rodopiou, colidindo com a parede praticamente em velocidade máxima, e o carro se espatifou em milhões de pedaços.

O piloto não se machucou, mas a corrida tinha acabado para a equipe. E Denny, que havia trabalhado o ano inteiro para brilhar naquele momento, ficou parado no pátio interno, vestido com o macacão de corrida que havia recebido com a marca do patrocinador espalhada por todo o corpo, e com seu próprio capacete especial que ele havia equipado com vários instrumentos de rádio e adaptadores de ventilação e fibra de carbono especial Hans para melhor proteção, vendo a oportunidade da sua vida sendo arrastada para fora da pista, presa a um reboque, dirigindo-se ao depósito dos resgatados sem que ele tivesse sentado diante do volante sequer por uma volta.

—Você não recebe nem um tostão de volta? — perguntou Mike.

— Não estou preocupado com isso — Denny falou. — Eu devia estar aqui.

— Ela chegou antes da hora. Você não pode saber o que vai acontecer antes que aconteça.

— Sim, eu posso — Denny respondeu. — Se for bom, eu posso.

— De qualquer forma — Mike falou, erguendo a garrafa de cerveja —, à Zoë.

— À Zoë — Denny repetiu.

À Zoë, eu disse para mim mesmo. *A quem sempre protegerei.*

7

Quando éramos apenas Denny e eu, ele costumava fazer até dez mil dólares por mês nas horas vagas falando com as pessoas pelo telefone, como dizia o comercial. Entrentanto, depois que Eve ficou grávida, Denny assumiu o trabalho atrás do balcão na oficina requintada que consertava apenas carros alemães caros. Denny gostava do seu trabalho de verdade, mas quase não tinha tempo livre e então não passávamos mais os dias juntos.

Nos fins de semana, Denny às vezes dava aulas de direção de alto desempenho nos cursos oferecidos pelos muitos clubes de automóveis da região — BMW, Porsche, Alfa Romeo — e sempre me levava para a pista com ele, algo de que eu gostava muito. Ele é que não gostava dessas aulas porque ele mesmo não dirigia; ficava sentado no banco do passageiro dizendo à outra pessoa como dirigir. E mal dava para pagar a gasolina que ele gastava para ir até a pista, ele dizia. Denny ficava pensando em mudar para outro lugar — para Sonoma ou Phoenix, ou Connecticut, ou Las Vegas, ou mesmo a Europa — e entrar em uma das grandes escolas, onde pudesse pilotar mais, mas Eve dizia que não conseguiria sair de Seattle.

Eve trabalhava para uma sólida rede varejista de roupas porque nos dava dinheiro e assistência médica, e também porque ela podia comprar roupas para toda a família com o desconto para funcionários. Ela voltou a trabalhar poucos meses depois de Zoë ter nascido, apesar de que preferiria ter ficado com seu bebê. Denny sugeriu largar seu emprego para tomar conta de Zoë, mas Eve disse que essa não era uma solução prática; em vez disso, passou a levar Zoë para uma creche todas as manhãs, pegando-a à noite, quando voltava para casa.

Com Denny e Eve trabalhando e Zoë na creche, eu ficava sozinho com minhas próprias manias. Passava a maior parte daqueles dias sombrios sozinho no apartamento, indo de um quarto para o outro, de um cochilo aqui para outro ali, às vezes passando minhas horas sem fazer outra coisa além de olhar pela janela e sincronizar os ônibus que passavam na rua da frente para ver se conseguia adivinhar a programação deles. Não percebia o quanto havia gostado de ter todo mundo rondando pela casa durante aqueles primeiros meses de vida de Zoë. Eu havia me sentido parte de algo. Era uma figura importante para o entretenimento de Zoë: às vezes, depois de comer, quando estava acordada e desperta, e presa com segurança à sua cadeirinha, Eve e Denny brincavam de bobinho, jogando uma bola feita com meias de um lado para o outro na sala; eu era o bobinho. Pulava atrás das meias e voltava para pegar, e dançava como um palhaço de quatro patas para pegá-las de novo. E quando, contra todas as probabilidades, eu conseguia alcançar a bola e batia nela com o focinho, Zoë dava gritinhos e ria; balançava as perninhas com tanta força que a cadeirinha se mexia no chão, e então Eve, Denny e eu rolávamos de rir.

Mas aí todo mundo foi embora e me deixou para trás.

Mergulhei no vazio dos meus dias solitários. Ficava olhando pela janela, pensando em Zoë e me lembrando de quando brincava de pegar o Enno, jogo que inventei e que mais tarde ela batizou, no qual Denny, ou Eve, a ajudava a empurrar uma bola de meia ou a atirar um de seus brinquedos pela sala, e eu o empurrava de volta com meu nariz, e ela ria, e eu balançava o rabo, e depois fazíamos tudo de novo. Até que um dia aconteceu um feliz acidente que mudou minha vida. Denny ligou a TV de manhã para ver a previsão do tempo e esqueceu de desligar.

Deixe-me dizer uma coisa: o Weather Channel não tem nada a ver com meteorologia, tem a ver com o *mundo*! Fala de como o tempo afeta todos nós, toda a nossa economia global, a saúde, a felicidade, a nossa alma. O canal analisa detalhadamente todos os fenômenos meteorológicos de todos os tipos: furacões, ciclones, tornados, monções, chuva de granizo, chuvas, tempestades, e não há maior prazer quando ocorre a confluência de vários fenômenos. Absolutamente fascinante. Tanto que, quando Denny voltou do trabalho naquela noite, eu ainda estava grudado na televisão.

— O que você está assistindo? — ele perguntou ao entrar. Perguntou como se eu fosse Eve ou Zoë, como se fosse a coisa mais natural do mundo me ver ali ou falar comigo daquele jeito. Mas Eve estava na cozinha preparando o jantar e Zoë estava com ela; eu estava sozinho. Olhei para ele e depois de novo para a TV, que estava repassando os principais acontecimentos do dia: alagamentos causados por tempestades torrenciais na costa leste.

— Weather Channel? — ele brincou, pegando o controle remoto e mudando de canal. — Veja este aqui.

Ele mudou para o Speed Channel.

Tinha assistido muito à TV enquanto crescia, mas só quando havia alguém assistindo: eu e Denny gostávamos de corridas e dos canais de filmes; com Eve eu assistia a clipes de músicas e fofocas de Hollywood; com Zoë, programas infantis. (Tentei ser autodidata e me alfabetizar com *Vila Sésamo*, mas não funcionou. Subi alguns degraus na escala literária, e sei qual é a diferença entre "puxe" e "empurre" em uma porta, contudo, depois de entender as formas das letras, não consegui entender que som cada letra tem e por quê.) Mas, de repente, a idéia de assistir à televisão *sozinho* entrou na minha vida! Se eu fosse um personagem de história em quadrinhos, a lampadazinha em cima da minha cabeça teria acendido. Lati entusiasmado quando vi os carros correndo na tela. Denny riu.

— Bem melhor, hein?

Sim, muito melhor! Eu me estiquei bastante, com muita alegria, fazendo meu melhor papel de cachorro de cabeça baixa e abanando o rabo: gestos de felicidade e aprovação. E Denny entendeu.

— Não sabia que você gostava de televisão — ele disse. — Posso deixar ligada para você durante o dia, se você quiser.

Eu quero! Eu quero!

— Mas você não pode exagerar — ele recomendou. — Não quero que passe o dia inteiro vendo televisão. Espero que você seja responsável.

Eu sou responsável!

Embora já tivesse aprendido muitas coisas até aquela altura da minha vida — estava com 3 anos de idade —, depois que Denny começou a deixar a TV ligada para mim, meu grau de conhecimento realmente decolou. Com o fim do tédio, o tempo voltou a passar depressa. Os fins de semana, quando estávamos todos juntos, pareciam curtos e cheios de atividade, e, apesar da melancolia das noites de domingo, eu me confortava sabendo que teria pela frente uma semana inteira de televisão.

Estava tão entretido com minha educação que perdi a conta das semanas e de repente fui surpreendido com a chegada do segundo aniversário de Zoë. Fui envolvido por uma festa no apartamento com uma porção de crianças que ela havia conhecido no parque e na creche. Fizeram muito barulho e algazarra, e todas as crianças brincaram comigo e rolamos no tapete, e eu deixei que me colocassem um chapéu e um casaco. Zoë disse que eu era seu irmão mais velho. Elas esparramaram bolo de limão por todo o chão, e precisei ajudar Eve a limpar tudo enquanto Denny abria os presentes com as crianças. Achei bacana que Eve parecesse feliz limpando tudo aquilo, pois às vezes ela reclamava de ter de limpar o apartamento quando um de nós fazia bagunça. Eve até brincou com minha habilidade para limpar as migalhas, ela com o aspirador e eu com minha língua. Depois que todos foram embora e cada um de nós terminou sua parte na limpeza, Denny apareceu com um presente de aniversário surpresa para Zoë. Ele mostrou a ela uma fotografia, que ela olhou rapidamente e com pouco interesse. Mas então ele mostrou a mesma foto para Eve, e ela chorou. E depois riu e então ela o abraçou e olhou para a foto de novo, e chorou mais um pouco. Denny pegou a foto e mostrou para mim; era a foto de uma casa.

— Olhe para isto, Enzo — ele falou. — Este é seu novo quintal. Você não vai ficar emocionado?

Acho que fiquei emocionado. Na verdade, senti-me um pouco confuso. Não entendi as implicações daquilo. E então todo mundo começou a colocar as coisas em caixas e a arrastar tudo, e o que sei é que, quando dei por mim, minha cama estava num lugar completamente diferente.

A casa era legal. Era pequena e estilosa, de um tipo que eu já tinha visto na televisão, com dois quartos e apenas um banheiro, mas com uma sala muito espaçosa. Ficava bem próxima dos vizinhos, em uma encosta no Central District. Havia muitos fios elétricos caindo de postes ao longo da calçada na rua, e, embora a nossa casa parecesse limpa e arrumada, um pouco mais para baixo havia casas com gramados malcuidados, a pintura descascando e os telhados cheios de musgo.

Eve e Denny se apaixonaram pelo lugar. Passaram praticamente toda a primeira noite rolando pela casa nus, menos no quarto de Zoë. Quando Denny chegava do trabalho, cumprimentava primeiro as garotas e depois me levava para o quintal e atirava uma bola, que eu trazia de volta alegremente. E então Zoë cresceu o suficiente para correr por todos os lugares e se esconder enquanto eu fingia procurar por ela. E Eve ralhava:

— Não corra desse jeito; Enzo vai acabar mordendo você.

Nos primeiros anos, ela vivia dizendo isso, imagine só. Até que um dia Denny se virou abruptamente para ela e respondeu:

— Enzo jamais a machucaria; jamais!

Ele estava certo. Eu sabia que era diferente dos outros cachorros. Tinha certa força de vontade que era grande o suficiente para superar meus instintos básicos. O que Eve dizia não era algo absurdo, pois muitos cães não conseguem se controlar; eles vêem um animal correndo e saem correndo atrás dele. Mas esse tipo de coisa não se aplicava a mim.

Mesmo assim, Eve não sabia disso, e eu não tinha como explicar para ela, por isso nunca fui bruto com Zoë. Não queria que Eve começasse a se preocupar sem necessidade. Porque eu já havia tido um pressentimento. Quando Denny não estava e Eve me dava comida, e se inclinava para me dar a cumbuca de comida e meu nariz ficava perto de sua cabeça, eu sentia um cheiro ruim, parecido com o de madeira estragada, cogumelos, ou algo em decomposição. Decomposição úmida, empapada. Vinha de suas orelhas e dos seios da face. Havia alguma coisa dentro da cabeça de Eve que não estava no lugar certo.

Se tivesse uma língua fluente, eu poderia ter dito a eles. Poderia tê-los avisado daquela situação muito antes de terem descoberto com seus equipamentos, computadores e máquinas com mapeamento cerebral que podem enxergar o interior da cabeça das pessoas. Eles podem achar que essas máquinas são sofisticadas, mas a verdade é que são pesadonas e desajeitadas, totalmente reativas, cujo funcionamento é baseado em uma filosofia de medicina orientada pelos sintomas que está sempre um pouco desatualizada. Meu nariz — sim, meu pequeno nariz preto, que é duro e bonitinho — conseguiu sentir o cheiro da doença no cérebro de Eve muito antes que ela mesma soubesse que estava lá.

No entanto eu não tinha uma língua fluente. Por isso, tudo que podia fazer era ver e me sentir vazio por dentro; Eve tinha me encarregado de proteger Zoë a qualquer preço, mas não havia ninguém encarregado de proteger Eve. E não havia nada que eu pudesse fazer para protegê-la.

8

Em uma tarde de sábado no verão, depois de termos passado a manhã na praia de Alki nadando e comendo peixe e batata frita, voltamos para casa vermelhos e cansados do sol. Eve colocou Zoë para dormir; eu sentei com Denny diante da TV para estudar.

Ele colocou uma fita de um enduro do qual havia sido convidado a participar algumas semanas antes, em Portland. Foi uma corrida emocionante, com oito horas de duração, em que Denny e seus dois companheiros de equipe se revezaram no volante em turnos de duas horas e acabaram terminando em primeiro lugar na classe depois de Denny mostrar seu talento recuperando-se de uma quase-rodopiada para superar dois concorrentes de sua classe.

Assistir à corrida inteira em uma gravação feita dentro do carro é uma experiência incrível. Dá uma sensação maravilhosa de perspectiva que normalmente se perde na transmissão feita pela televisão, com todas aquelas câmeras e carros para acompanhar. Vendo a corrida do *cockpit* de um único carro, você realmente sente como é ser um piloto: a pegada no volante, a arrancada, a pista, o rápido vislumbre no retrovisor dos outros carros passando ou sendo ultrapassados, a sensação de isolamento, a concentração e determinação necessárias para vencer.

Denny colocou a fita no começo do seu turno final, com a pista molhada e o céu carregado com nuvens negras, que anunciavam mais chuva. Vimos várias voltas em silêncio. Denny pilotando tranqüilamente e quase sozinho, pois sua equipe tinha ficado para trás depois de ter tomado a decisão crucial de parar nos boxes e mudar para pneus de chuva; outras equipes acreditaram que a chuva iria parar e que voltariam a ter condições de pista seca, por isso tinham ganhado mais de duas voltas de vantagem sobre a equipe de Denny. Mas a chuva voltou, o que deu a Denny uma tremenda vantagem.

Ele passou com facilidade os carros de outras classes: Miatas com seus motores de potência inferior que disparavam pelas curvas com seu excelente equilíbrio; Vipers com seus motores enormes e seu horrível desempenho. Denny, com seu veloz e encorpado Porsche Cup Car, deslizando pela chuva.

— Como é que você consegue fazer as curvas com velocidade tão superior à dos outros carros? — Eve perguntou.

Eu ergui os olhos. Ela estava parada na porta, assistindo conosco.

— A maioria não está correndo com pneus de chuva — Denny disse.

Eve se sentou no sofá ao lado de Denny.

— Mas alguns estão.

— Sim, alguns — ele respondeu.

Nós assistimos. Denny apareceu atrás de um Camaro amarelo no final da reta oposta, e, apesar de parecer que ele poderia ter passado o outro carro na décima segunda volta, ele se deteve. Eve percebeu.

— Por que você não passou esse cara? — ela indagou.

— Eu o conheço. Ele estava com muita potência e teria me passado de novo na reta. Acho que passo por ele no início da próxima série de voltas.

Sim, no fim da reta seguinte, antes da curva, Denny estava a alguns centímetros da traseira do Camaro. Ele entrou apertado para fazer a curva dupla e na saída da primeira curva seguiu pela esquerda para fazer a segunda, e então saiu rapidamente para pegar a direita.

— Essa parte da pista é muito escorregadia na chuva — ele disse. — Ele tem de dar passagem. Quando consegue recuperar o controle, já estou longe.

De volta à reta oposta, com os faróis iluminando os marcadores das curvas contra um céu que ainda não estava totalmente escuro, o Camaro podia ser visto no retrovisor panorâmico de Denny, desaparecendo ao fundo.

— Ele estava com pneus de chuva? — Eve perguntou.

— Acho que sim. Mas o carro não estava perfeitamente estável.

— Mesmo assim. Você está pilotando como se a pista não estivesse molhada, e todos os outros estão pilotando como se estivesse.

Volta número 12 e descendo a reta, nós podíamos ver as luzes dos freios dos concorrentes brilhando à frente; próximas vítimas de Denny.

— Aquilo que você deseja já está à sua frente — Denny explicou suavemente.

— O quê?

— Quando eu tinha 19 anos — Denny falou depois de um tempo —, na minha primeira escola de pilotagem, em Sears Point, estava chovendo e eles tentavam nos ensinar a pilotar na chuva. Depois que os instrutores terminaram de contar todos os seus segredos, os alunos ficaram completamente confusos. Não tínhamos idéia do que eles estavam falando. Olhei para o cara que estava ao meu lado. Eu me lembro dele. Tinha vindo da França e era muito veloz. Gabriel Flouret. Ele sorriu e disse: "Aquilo que você deseja já está à sua frente".

Eve apertou o lábio inferior e olhou para Denny com o canto dos olhos.

— E então tudo fez sentido — ela disse brincando.

— Exatamente — Denny respondeu com um semblante sério.

Na TV, a chuva não parava; continuava caindo. A equipe de Denny tinha feito a escolha certa; as outras equipes estavam parando para colocar pneus de chuva.

— Os pilotos têm medo da chuva — Denny nos contou. — Com a chuva, os erros se amplificam, e a água na pista pode tornar o controle do carro imprevisível. Quando acontece alguma coisa inesperada, você precisa reagir; se reagir em alta velocidade, significa que está reagindo tarde. E por isso é *preciso* ter medo.

— Eu fico com medo só de olhar — Eve falou.

— Se eu fizer algo com o carro intencionalmente, posso prever o que vai acontecer. Em outras palavras, só é imprevisível se não tenho... o controle.

— Então você deixa o carro rodar antes que ele rode sozinho?

— Exatamente! Se eu inicio a ação, quer dizer, se deixo o carro um pouco solto, sei o que vai acontecer antes que aconteça. Então posso reagir mesmo antes que o carro saiba o que está acontecendo.

— E você consegue fazer isso?

Passando por outros carros na tela da TV, de repente a traseira rodopiou, e o carro ficou de lado, mas suas mãos já estavam corrigindo a direção, e, em vez de rodar totalmente, ele retomou o percurso, deixando os outros para trás. Eve colocou a mão na testa suspirando de alívio.

— Às vezes — Denny disse. — Mas todos os pilotos rodam. Acontece porque forçamos os limites. Estou trabalhando nisso. Sempre trabalhando nisso. E tive um bom dia.

Ela ficou sentada conosco mais um tempo, depois sorriu para Denny quase relutantemente e ficou de pé.

— Eu amo você — ela falou. — Amo tudo em você, até as corridas. E sei que, de alguma maneira, você está absolutamente certo a respeito do que diz. Só acho que eu jamais conseguiria fazer essas coisas.

Ela foi para a cozinha; Denny e eu continuamos a ver os carros na tela da TV enquanto corriam pelo circuito envoltos pela escuridão.

Nunca vou me cansar de assistir às fitas com Denny. Ele sabe tantas coisas, e aprendi tanto com ele! Ele não falou mais nada para mim; continuou a assistir às fitas. Mas meus pensamentos voltaram ao que ele havia acabado de me ensinar. Um conceito tão simples, no entanto tão verdadeiro: aquilo que desejamos já está à nossa frente; nós somos os criadores do próprio destino. Seja intencionalmente seja pela ignorância, nossos sucessos ou fracassos eram trazidos por ninguém mais, ninguém menos que nós mesmos.

Fiquei pensando em como essa idéia se aplicava ao meu relacionamento com Eve. Era verdade que eu sentia certo ressentimento em relação a ela por ter entrado em nossas vidas, e eu sabia que ela percebia isso e se protegia mantendo-se a distância. E, apesar de o nosso relacionamento ter mudado muito desde a chegada de Zoë, ainda havia uma frieza entre nós.

Deixei Denny em frente da TV e fui até a cozinha. Eve estava preparando o jantar e olhou para mim quando entrei.

— Enjoou de assistir à corrida? — ela perguntou casualmente.

Não estava enjoado. Poderia ficar assistindo àquela corrida o dia inteiro e também no dia seguinte. Eu estava fazendo meu desejo se manifestar. Deitei perto da geladeira, em um dos meus lugares favoritos, e descansei.

Acho que ela se sentiu diferente com a minha presença. Normalmente, quando Denny estava na casa, eu ficava o tempo todo ao lado dele; ela parecia confusa com o fato de eu ter preferido ficar a seu lado. Não entendeu minha intenção. E então voltou a se preocupar com o jantar e acabou me esquecendo.

Primeiro, começou a fritar alguns hambúrgueres, que cheiravam muito bem. Depois lavou um pouco de alface e secou. Cortou algumas maçãs. Colocou cebola e alho em uma panela e depois uma lata de molho de tomate. E a cozinha foi tomada pelo cheiro de comida. Aquele cheiro e o calor do dia me deixaram com sono, e devo ter cochilado até que senti suas mãos em mim, passando pelo meu corpo, coçando minha barriga, e rolei de costas para reconhecer seu domínio; minha recompensa foi muito maior do que as coçadinhas gostosas.

— Que cachorro bonzinho — ela disse para mim. — Que cachorro bonzinho!

Ela retomou suas tarefas, parando algumas vezes para acariciar meu pescoço com o pé descalço ao passar por mim, o que não aconteceu muitas vezes, mas significou muito.

Sempre quis amar Eve como Denny a amava, mas nunca consegui porque tinha medo. Ela era a minha chuva. Ela era o meu elemento imprevisível. Ela era o meu medo. Mas um piloto não deve ter medo da chuva; um piloto precisa adorar a chuva. Eu, sozinho, poderia manifestar uma mudança no que estava ao meu redor. Mudando minha postura, minha energia, permiti que Eve me visse de outra maneira. E, apesar de não poder dizer que sou o senhor do meu próprio destino, posso dizer que tive um vislumbre de domínio pessoal, e sei o que preciso fazer.

9

Alguns anos depois de termos mudado para a casa nova, ocorreu algo realmente assustador.

Denny conseguiu um lugar em uma corrida em Watkins Glen.* Era outro enduro, mas a equipe era bem estabelecida, e ele não precisava ir atrás de todo o dinheiro do patrocínio para sua vaga. No começo daquela primavera ele tinha ido à França para participar de um programa de testes da Fórmula Renault. Era um programa caro, que ele não tinha condições de bancar; porém ele disse a Mike que seus pais haviam lhe dado de presente o dinheiro. Eu tinha minhas dúvidas. Seus pais viviam em uma cidadezinha bem distante, e jamais haviam aparecido para fazer uma visita desde que eu tinha ido morar com ele. Não vieram nem para o casamento, nem quando Zoë nasceu, nunca. Tudo bem. Independentemente da procedência do dinheiro, Denny havia participado do programa e tinha arrasado porque era primavera

* Watkins Glen é um autódromo localizado próximo à cidade de mesmo nome, no estado de Nova York. Por vinte anos, foi palco do Grande Prêmio dos Estados Unidos de Fórmula 1. (N. do E.)

na França, época de chuva. Quando ele contou a Eve, falou que um dos observadores que vão a esses lugares se aproximou dele no padoque* depois de uma das sessões de treinamento e perguntou:

— Você consegue ser tão rápido em pista seca quanto é na pista molhada?

Denny olhou-o diretamente nos olhos e respondeu apenas:

— Pode me testar.

Aquilo que você deseja já está à sua frente.

O observador ofereceu o teste a Denny, e Denny sumiu por duas semanas. Testando e acertando e treinando. Foi impressionante. Ele se saiu tão bem que lhe ofereceram um lugar na corrida de Watkins Glen.

Quando ele foi embora para Nova York, nós todos trocamos sorrisinhos porque mal podíamos esperar para assistir à corrida no Speed Channel.

— É tão emocionante — Eve comentou sorrindo. — O papai é um piloto de carros de corrida profissional!

E Zoë, que eu amo demais e a quem daria minha própria vida para proteger, fazia festinhas e pulava em seu carrinho de corrida que ficava no meio da sala, e dirigia em círculos até ficarmos todos tontos, e então estendia os braços no ar e proclamava:

— Eu sou a campeã!

Deixei-me envolver de tal maneira por todo esse entusiasmo que comecei a fazer coisas idiotas como cavar buracos no gramado. E me enrolar e depois me esticar todo no chão com as pernas estendidas e as costas arqueadas, deixando que coçassem minha barriga. E corria atrás das coisas. E como eu corria!

---

* Em Fórmula 1, trata-se do local reservado aos profissionais ligados às corridas. Curiosamente, em um hipódromo, o termo também pode ser utilizado para animais que vão disputar uma corrida. (N. do E.)

Foi a melhor época das nossas vidas. De verdade.

Em seguida veio a pior época das nossas vidas.

Chegou o dia da corrida, e Eve acordou envolta pela escuridão. Uma dor tão insuportável que ela chegou na cozinha de manhã bem cedo, antes de Zoë acordar, e vomitou muito na pia. Vomitou como se fosse virar do avesso.

— Não sei o que está acontecendo comigo, Enzo — disse. E ela raramente falava comigo com aquela franqueza. Como quando Denny fala comigo, como amigos de verdade, companheiros. A última vez em que ela falara comigo daquele jeito tinha sido quando Zoë nascera.

Mas, desta vez, falou comigo como se eu fosse um amigo de verdade. Ela perguntou:

— O que está acontecendo comigo?

Ela sabia que eu não poderia responder. A pergunta era completamente retórica. Foi por isso que me senti tão frustrado: eu tinha uma resposta.

Sabia o que estava acontecendo, mas não tinha como lhe dizer. Apenas empurrei sua coxa com meu focinho. Enfiei o nariz e a cabeça no meio das suas pernas. E fiquei ali esperando, com medo.

— Parece que tem alguém esmagando minha cabeça — ela repetia.

E então começou a juntar algumas coisas com pressa, enquanto eu observava. Ela jogou as roupas de Zoë em uma mala e algumas roupas suas, e as escovas de dente. Tudo muito depressa. Acordou Zoë e enfiou seus pezinhos de bebê em seus chinelinhos de bebê e — *bang* — a porta se fechou com um barulho e – *nhec, nhec* — a fechadura girou. Elas sumiram.

Mas eu não sumi. Eu fiquei ali. Ainda estava ali.

10

O ideal é que o piloto controle tudo que estiver ao seu redor, Denny costuma dizer. O ideal é que o piloto tenha tamanho controle do carro que consiga corrigir uma rodada antes que ela aconteça; que consiga prever todas as possibilidades. Mas nós não vivemos em um mundo ideal. Em nosso mundo, as surpresas às vezes ocorrem, os erros acontecem, e um piloto precisa reagir.

Quando o piloto reagir, Denny costuma dizer, é importante que ele se lembre de que seu carro é tão bom quanto seus pneus. Se os pneus perderem a força de tração, nada mais tem importância. A potência do motor, o torque, os freios. Tudo se precipita quando o carro começa a rodar. Até que a velocidade possa ser controlada, até que a velha fricção e os pneus recuperem a tração, o piloto fica à mercê do momento. E o momento é uma poderosa força da natureza.

É importante que o piloto entenda essa idéia e contrarie seus instintos. Quando a traseira do carro rodopia, o piloto pode entrar em pânico e tirar o pé do acelerador. Se fizer isso, vai jogar o peso do carro nas rodas dianteiras, a traseira vai rodar e o carro irá começar a girar.

Um bom piloto vai tentar assumir o controle virando as rodas na direção em que o carro está girando; talvez consiga. Contudo, em um ponto crítico, a derrapada completa sua missão, que era roubar a velocidade de um carro que estava indo depressa demais. De repente, os pneus recuperam a aderência e o piloto controla a tração — infelizmente, para ele, com as rodas dianteiras viradas na direção errada. Isso leva a uma contra-rodada, pois o carro está completamente desestabilizado. Assim, a rodada em uma direção, quando corrigida muito abruptamente, torna-se uma rodada em outra direção, e essa segunda rodada é muito mais rápida e muito mais perigosa.

Porém, se desde o primeiro momento os pneus estivessem livres, e nosso piloto tivesse experiência suficiente para resistir à reação instintiva de desacelerar o carro, ele poderia ter tido condições de usar seu conhecimento acerca do comportamento do carro e, em vez disso, teria *aumentado* a pressão sobre o acelerador, soltando ao mesmo tempo o volante. O aumento da aceleração teria colocado os pneus traseiros na pista e equilibrado o carro. O volante solto teria reduzido as forças *g* que agiam na lateral. Dessa maneira, a rodada teria sido corrigida, mas nosso piloto teria de lidar com um problema secundário causado pela correção: aumentando o raio da rodada, ele havia se arriscado a sair da pista.

Nossa! O piloto não está onde esperava estar. No entanto, ainda tem o controle do carro. Ainda tem condições de agir de maneira positiva. Ele ainda pode criar um final em que completa a corrida sem incidentes. E, talvez, se o que se manifestar for bom, ele poderá vencer.

11

Quando fiquei trancado dentro de casa de repente e sem alternativa, não entrei em pânico. Não tentei corrigir a situação, tampouco fiquei paralisado. Rápida e cuidadosamente, avaliei toda a situação e cheguei a duas conclusões: Eve estava doente, e a doença provavelmente estava afetando seu bom senso, e ela talvez não voltasse só por minha causa; Denny estaria em casa no terceiro dia, depois de duas noites.

Sou um cão; sei jejuar. Faz parte da herança genética da qual desdenho tanto. Quando Deus deu aos homens cérebros grandes, tirou-os da inconsciência que os protegia e os tornou sensíveis à salmonela. Quando negou aos cães o uso dos polegares, deu-lhes habilidade para sobreviver sem comida por longos períodos. Embora um polegar — *um polegar!* — pudesse ter sido muito útil naquele momento, uma vez que me permitiria *virar a idiota da fechadura para fugir*, o segundo melhor instrumento, e aquele que eu tinha à minha disposição, era minha capacidade para ficar sem alimento.

Durante três dias tomei cuidado para racionar a água do banheiro. Andei pela casa cheirando por baixo da porta da entrada, imaginando uma grande tigela com minha ração, pegando um ou outro salgadinho coberto de pó que Zoë havia deixado cair aqui e ali. E urinei e defequei no tapete de entrada da porta dos fundos, perto da máquina de lavar roupa. Não entrei em pânico.

Na segunda noite, com aproximadamente quarenta horas de solidão, acho que comecei a ter alucinações. Lambendo as pernas da cadeira de bebê de Zoë, onde descobri um resto de iogurte derrubado fazia muito tempo, estimulei inadvertidamente os sucos digestivos do meu estômago, que roncou desagradavelmente, e ouvi um barulho vindo do quarto. Um dos bichinhos de pelúcia de Zoë tinha começado a se mexer por conta própria.

Era a zebra. A zebra de pelúcia que havia sido enviada por seus avós paternos, que até podiam ser também eles bichos de pelúcia, já que nunca os víramos em Seattle. Nunca tinha dado importância àquela zebra, pois ela era uma espécie de rival em relação ao afeto de Zoë. Francamente, fiquei surpreso em ver que estava na casa. Era um dos seus bichos favoritos e andava com ela para todos os lugares, e até dormia com ela, o que havia deixado gasto o corpo do animal pouco abaixo da cabeça. Para mim era difícil acreditar que Eve não a tivesse colocado na mala com as outras coisas, mas acho que ela estava tão apavorada ou com tanta dor que acabou esquecendo a zebra.

A zebra, que agora estava viva, não disse coisa alguma, mas quando me viu começou a dançar, serpenteando num balé idiota, que culminou com ela batendo repetidamente o corpo castrado contra o rosto de uma inocente boneca Barbie. Aquilo me deixou muito irritado, e rosnei para a zebra pervertida, mas ela apenas sorriu e continuou seus ataques, escolhendo desta vez um sapo de pelúcia, no qual ela montou por trás, com seus cascos no ar, como se fosse um cavaleiro gritando "Upa! Upa!".

Fui seguindo a zebra, enquanto ela agredia e humilhava cada um dos brinquedos de Zoë com grande sarcasmo. Por fim, não agüentei mais e me aproximei, os dentes arreganhados para atacar, para colocar um fim naquele espetáculo de uma vez por todas. Porém, antes que eu conseguisse agarrar aquela zebra demente, ela parou de dançar e ficou de quatro na minha frente. Então, com as pernas dianteiras, ela rasgou a costura que atravessava sua barriga. Sua própria costura! Continuou a abrir a costura até conseguir alcançar o interior e arrancar o enchimento. Continuou a se desfazer, costura após costura, pouco a pouco, até expelir o demônio que havia lhe dado vida, até não restar nada além de um monte de enchimento e tecido jogados no chão, palpitando como um coração arrancado de um peito, lentamente, mais lento ainda, e, depois, mais nada.

Traumatizado, saí do quarto de Zoë alimentando a esperança de que tudo aquilo que eu havia visto fosse coisa da minha cabeça, uma visão provocada pela falta de glicose no sangue, mas sabendo, de alguma maneira, que não era uma visão, que era verdade. Alguma coisa terrível tinha acontecido.

Na tarde do dia seguinte, Denny voltou. Ouvi o barulho do táxi parando, e vi quando ele descarregou as malas e andou até a porta dos fundos. Não queria parecer muito excitado por vê-lo, mas ao mesmo tempo eu estava preocupado com o que tinha deixado no tapete da porta dos fundos, por isso lati um pouco para avisá-lo. Pela janela, pude ver o olhar de surpresa em seu rosto. Ele pegou as chaves e abriu a porta, e eu ainda tentei pará-lo, mas ele foi mais rápido e o tapete fez um barulho de algo mole se espatifando. Ele olhou para baixo e entrou cuidadosamente.

— Mas que diabos? O que é que você está fazendo aqui?

Ele deu uma olhada na cozinha. Não havia nada fora do lugar, nada errado, exceto eu.

— Eve? — ele chamou.

Mas Eve não estava ali. Eu não sabia onde ela estava, só sabia que ela não estava comigo.

— Elas estão em casa? — ele perguntou para mim.

Não respondi. Ele pegou o telefone e discou.

— Eve e Zoë ainda estão na sua casa? — ele perguntou sem sequer dizer alô. — Posso falar com Eve?

Depois de alguns instantes, ele disse:

— Enzo está aqui.

Ele disse:

— Estou tentando entender exatamente isso. Você o deixou aqui?

Ele disse:

— Isso é loucura. Como você pode não lembrar de que seu cachorro está na casa?

Ele disse:

— Ele ficou aqui o tempo todo?

Ele disse, muito nervoso:

— Merda!

E então desligou o telefone e gritou de raiva, um grande grito bem alto, muito alto. Depois, olhou para mim e disse:

— Estou muito, muito bravo.

Ele atravessou a casa correndo. Não o segui; fiquei esperando perto da porta dos fundos. Ele voltou um minuto depois.

— Você só usou este lugar? — ele perguntou, apontando para o tapete. — Bom menino, Enzo. Muito bem.

Ele pegou um saco de lixo na despensa e colocou o tapete encharcado, fechou bem fechado e deixou na varanda de trás. Depois limpou a área perto da porta.

— Você deve estar morrendo de fome.

Ele encheu minha tigela de água e me deu um pouco de comida, que eu comi tão depressa que nem senti o gosto, mas pelo menos encheu o espaço vazio do meu estômago. Em silêncio, bufando, ele ficou me olhando enquanto eu comia. Não demorou muito e Eve apareceu com Zoë na varanda dos fundos.

Denny abriu a porta.

— Inacreditável — ele começou, com raiva. — Você é inacreditável.

— Eu fiquei doente — Eve falou, entrando em casa com Zoë escondida atrás dela. — Não estava raciocinando.

— Ele poderia ter morrido.

— Ele não morreu.

— Ele *poderia* ter morrido — Denny insistiu. — Nunca ouvi falar de alguém ter feito algo tão idiota assim. Negligência. Nenhuma consciência.

— Eu estava doente! — Eve retrucou. — Eu não estava pensando.

— Se você não pensar, as pessoas morrem. Os cachorros morrem.

— Não agüento mais isso — ela gritou, de pé, tremendo como uma árvore pequena em um dia de tempestade. Zoë correu em volta dela e desapareceu pela casa. — Você está sempre fora, e eu tenho de cuidar de Zoë e de Enzo sozinha, e eu não agüento! É demais pra mim! Mal consigo cuidar de mim mesma!

— Você devia ter ligado para o Mike, ou poderia tê-lo deixado em um canil, ou *qualquer coisa*! Mas não tentar matá-lo!

— Eu não tentei matá-lo — ela sussurrou.

Eu ouvi um choro e ergui os olhos. Zoë estava parada na porta que dava para o corredor, chorando. Eve passou por Denny e seguiu depressa na direção de Zoë, ajoelhando-se diante dela.

— Ah, meu amor, desculpe por estarmos brigando. Nós vamos parar. Por favor, não chore.

— Meus bichos — Zoë choramingou.

— O que foi que aconteceu com seus bichos?

Eve pegou Zoë pela mão e seguiu pelo corredor. Denny foi atrás delas. Fiquei onde estava. Não pretendia chegar perto daquele quarto onde a zebra pervertida havia estado. Não queria ver aquilo.

De repente, ouvi o som de passadas pesadas. Eu me escondi atrás da porta dos fundos enquanto Denny atravessava a cozinha na minha direção. Ele estava irritado, bufando; seus olhos me encararam e ele comprimiu o queixo.

— Seu cachorro idiota — ele grunhiu, e me pegou por trás do pescoço, agarrando um bom pedaço do pêlo. Fiquei mole, com medo. Ele nunca havia me tratado daquele jeito antes. Denny me arrastou pela cozinha e pelo corredor até o quarto de Zoë, onde ela estava sentada, paralisada, no chão, no meio de uma grande bagunça. Suas bonecas, seus bichos, estavam todos destruídos, eviscerados, um desastre total. Uma grande carnificina. Só pude pensar que a zebra endemoniada tinha se refeito e destruído os outros animais depois que eu saí. Eu devia ter eliminado a zebra quando havia tido a oportunidade. Deveria tê-la comido, mesmo que isso tivesse me matado.

Denny estava tão nervoso que sua raiva emanava por todo o quarto, por toda a casa. Nada era tão grande quanto a raiva de Denny. Ele recuou e rugiu, e com sua mão grande bateu na minha cabeça. Perdi o equilíbrio e lati, e me agachei no chão o máximo que consegui.

— Cão malvado! — ele gritou, e ergueu a mão para me bater de novo.

— Denny, não! — Eve gritou. Ela correu na minha direção e me cobriu com seu próprio corpo. Ela me protegeu.

Denny parou. Ele não bateria nela. Qualquer que fosse o motivo. Assim como não bateria em mim. Ele *não* tinha batido em mim, eu sei, apesar de estar sentindo a dor do tapa. Ele havia batido no demônio, a zebra possuída, a criatura das trevas que entrara na casa e se apossara do bicho de pelúcia. Denny estava pensando que eu havia sido possuído pelo demônio, mas não era nada disso. Eu o tinha visto. O demônio tinha possuído a zebra e me deixara naquela cena sangrenta sem voz para me defender — eu tinha caído em uma armadilha.

— Nós vamos comprar outros bichos, querida — Eve disse para Zoë. — Vamos até a loja amanhã mesmo.

Eu me aproximei de Zoë da maneira mais delicada possível; a pobre garota continuava sentada no chão, cercada pelos escombros do seu mundo de fantasia, o queixo enterrado no peito, o rosto coberto de lágrimas. Sabia o quanto ela estava sofrendo porque conhecia muito bem seu mundo de fantasia. Ela havia permitido que eu visse como era de verdade, e estava sempre deixando que eu fizesse parte dele. Por meio das nossas brincadeiras — joguinhos bobos de faz-de-conta — eu podia ver o que ela pensava a respeito de si mesma, do seu lugar neste mundo. Como ela adorava seu pai e como estava sempre querendo agradar a mãe. Como confiava em mim, mas como sentia medo diante das minhas expressões, transparentes demais, a ponto de desafiar o que ela havia aprendido com a Ordem do Mundo comandado pelos adultos, que negava aos animais o processo do pensamento. Eu me arrastei até ela apoiando-me nos cotovelos e coloquei o nariz perto da sua coxa, bronzeada pelo sol do verão. E ergui as sobrancelhas levemente, como que perguntando se ela algum dia iria conseguir me perdoar por não ter protegido seus animais.

Ela demorou um tempão para me dar uma resposta, mas finalmente respondeu. Colocou a mão na minha cabeça e deixou que ficasse aí. Ela não me fez carinho. Demoraria um pouco até que se permitisse fazer isso. Mas ela me tocara, o que significava que me perdoava pelo que havia acontecido. Embora a ferida ainda estivesse aberta e dor ainda fosse grande demais para esquecer.

Mais tarde, depois que todos haviam comido e Zoë havia sido colocada na cama do seu quarto — onde haviam feito uma limpeza de toda a carnificina —, encontrei Denny sentado nos degraus da varanda com um copo de bebida muito forte, o que estranhei porque ele raramente tomava bebidas fortes. Aproximei-me cautelosamente, e ele percebeu.

— Tudo bem, rapaz — ele disse. Ele bateu com a mão no degrau em que estava e eu cheguei perto. Cheirei seu pulso e dei uma lambida. Ele sorriu e fez um carinho no meu pescoço.

— Sinto muito — ele disse. — Perdi a cabeça.

O gramado que ficava atrás da casa não era grande e parecia muito agradável à noite. Era cercado por uma faixa de terra coberta com lascas cheirosas de cedro onde eles plantavam flores na primavera, e no canto havia uns arbustos com flores que atraíam abelhas, o que me deixava nervoso quando Zoë ficava brincando por perto, mas ela nunca tinha sido picada.

Denny terminou a bebida com um grande gole e estremeceu involuntariamente. Pegou uma garrafa não sei de onde — fiquei surpreso por não tê-la notado antes — e se serviu de mais bebida. Ficou de pé e deu alguns passos, e se espreguiçou para o céu.

— Chegamos em primeiro, Enzo. Não só da "nossa classe". Chegamos em primeiro lugar na contagem geral. Você sabe o que isso significa?

Meu coração disparou. Eu sabia o que significava aquilo. Significava que ele era o campeão. Significava que era o melhor!

— Significa um lugar em um carro de turismo na próxima temporada, é isso o que significa — Denny completou. — Recebi uma proposta de uma equipe de corrida de verdade. Você sabe o que é uma proposta?

Adorava quando ele falava comigo daquele jeito. Todo entusiasmado. Antecipando a expectativa. Sempre senti um prazer muito grande nesse tipo de narrativa. Mas eu sou mesmo muito dramático. Para mim, uma grande história é aquela que cria expectativas e vai fazendo as revelações de modo surpreendente, excitante.

— Receber uma proposta significa poder pilotar se eu entrar com minha quota de patrocínio para a temporada, o que é bastante razoável e está praticamente ao meu alcance, se estiver disposto a passar a maior parte dos próximos seis meses longe de Eve e de Zoë, e de você. Será que estou disposto a isso?

Eu não disse nada porque estava dividido. Sabia que era o maior fã de Denny e o mais leal de seus incentivadores em relação às corridas.

Mas também sentia algo parecido com o que Eve e Zoë deviam sentir quando ele estava longe: um buraco no estômago só de pensar em sua ausência. Ele deve ter conseguido ler minha mente porque tomou um gole e disse:

— Eu também acho que não. — Era isso o que eu estava pensando.

— Eu não consigo acreditar que ela deixou você daquele jeito — ele falou. — Sei que ela pegou uma virose, mas mesmo assim.

Será que ele realmente acreditava naquilo, ou estava mentindo para si mesmo? Ou talvez estivesse acreditando nisso porque Eve queria que acreditasse. Não importa. Se eu fosse um ser humano, poderia ter contado a verdade a respeito da situação de Eve.

— Foi uma virose muito forte — ele tornou mais para si mesmo do que para mim. — E ela não conseguiu pensar direito.

E, subitamente, fiquei em dúvida: se eu fosse um ser humano, se eu estivesse em condições de lhe contar a verdade, não tenho certeza de que ele gostaria de ouvir.

Ele gemeu e voltou a sentar, enchendo o copo de novo.

— Vou descontar aqueles bichos de pelúcia da sua mesada — ele comentou, rindo. Então olhou para mim, e pegou meu queixo com a mão.

— Eu amo você, rapaz — ele disse. — E prometo que nunca mais vou fazer aquilo de novo. Não importa o que aconteça. Eu realmente sinto muito.

Ele falava bobagens; estava bêbado. Mas aquilo fez com que eu também o amasse ainda mais.

— Você é durão — ele continuou. — Você consegue agüentar três dias daquele jeito porque é um cachorro durão.

Eu me senti orgulhoso.

— Eu sei que você jamais faria qualquer coisa para magoar Zoë deliberadamente.

Deitei a cabeça em sua perna e olhei para ele.

— Às vezes eu acho que você realmente me entende. É como se existisse uma pessoa aí dentro. Como se você entendesse tudo.

Eu entendo, disse a mim mesmo. *Eu entendo*.

12

A saúde de Eve se tornara delicada e imprevisível. Em um dia ela sentia uma dor de cabeça terrível. No outro, um enjôo horroroso. Um outro podia começar com tontura e terminar com humor azedo e depressivo. E esses dias nunca vinham em seqüência. Entre eles havia dias e até semanas de alívio, a vida correndo normalmente. E então Denny recebia um telefonema no trabalho, e saía correndo para socorrer Eve. Ia buscá-la de carro no trabalho, precisava pedir a um amigo que dirigisse o carro dela, e passava o resto do dia observando sem poder fazer nada.

A natureza intensa e arbitrária das condições de saúde de Eve ultrapassava a capacidade de entendimento de Denny. Seus gritos, suas explosões dramáticas, seus ataques de angústia jogando-se ao chão. São coisas que só os cães e as mulheres entendem porque nos conectamos diretamente com a dor, nos ligamos diretamente à fonte que a causa, e isso é algo ao mesmo tempo brilhante e brutal e cristalino, como o metal incandescente saindo em jato de uma tubulação. Conseguimos apreciar a beleza desviando o pior dela, ainda que nos atinja diretamente o rosto. Os homens, por outro lado, filtram e medem e catalogam. Para os homens, é como o pé-de-atleta: basta passar um *spray* específico, eles dizem, e ele desaparece. Eles não fazem idéia de que a manifestação de um incômodo — o fungo entre os dedos — é apenas um sintoma, indicação de um problema sistêmico. O desenvolvimento de cândida no intestino, por exemplo, ou de algum outro distúrbio no organismo. A eliminação do sintoma não faz outra coisa senão obrigar o verdadeiro problema a se expressar em um nível mais profundo, em algum outro momento. Vá ver um médico, ele sugeriu a ela. Tome algum remédio. E ela uivava para a lua em resposta. Ele nunca entendeu, como eu, o que ela queria dizer quando falava que um remédio iria apenas mascarar a dor, e não fazê-la desaparecer, e que não adiantava. Ele nunca compreendeu quando ela dizia que, se procurasse um médico, ele iria apenas inventar uma doença que explicasse por que ele não poderia ajudá-la. E passava tanto tempo entre as crises... Havia tanta esperança...

Denny ficava frustrado com sua impotência, e nesse aspecto eu podia entender seu ponto de vista. Para mim, é frustrante não conseguir falar. Sentir que tenho tanto a dizer, tantas maneiras de ajudar, mas que estou preso em uma caixa à prova de som, em uma cabine isolada a partir da qual posso ver e ouvir o que está acontecendo, mas é como se tivessem tirado meu microfone e não me deixassem sair. É o tipo de coisa que pode levar uma pessoa à loucura. Certamente levou muitos cães à loucura. O cachorro bonzinho que jamais seria capaz de machucar quem quer que fosse, no entanto que acaba um dia mordendo o rosto da própria dona enquanto ela dormia profundamente sob o efeito de soníferos. Não havia nada de errado com o cão, exceto o fato de que finalmente sua mente tinha sucumbido. Por mais estranho que possa parecer, isso acontece; aparece muito nos noticiários da TV.

Quanto a mim, fui encontrando formas de contornar a loucura. Treino minha maneira humana de andar, por exemplo. Treino a mastigação lenta da comida, como fazem os humanos. Estudo os programas da televisão para descobrir dicas sobre comportamento e para aprender a reagir em determinadas situações. Na minha próxima vida, quando eu nascer de novo como pessoa, serei praticamente um adulto no momento em que sair do útero, por causa de toda a minha preparação. É tudo que posso fazer por enquanto, e depois esperar que o meu novo corpo humano amadureça e chegue à idade adulta, quando irei me destacar em todas as realizações atléticas e intelectuais que pretendo usufruir.

Denny evitou a loucura de seu inferno particular na cabine à prova de som contornando a situação. Não havia nada que ele pudesse fazer para acabar com a agonia de Eve, e, quando compreendeu isso, assumiu com ele mesmo o compromisso de fazer de tudo para melhorar as outras coisas.

É comum ocorrerem problemas nos carros exatamente quando a corrida está no auge. A roda dentada da transmissão pode quebrar, de repente, e o piloto fica sem nenhuma marcha. Ou talvez quebre a embreagem. Os freios podem falhar por causa do superaquecimento. Ou é a suspensão que quebra de repente. Quando tem de enfrentar um desses imprevistos, o piloto fraco bate. O piloto comum desiste. Os grandes pilotos contornam o problema. Eles descobrem uma forma de continuar a correr. Como no Grande Prêmio de Luxemburgo, em 1989, quando o piloto irlandês Kevin Finnerty York terminou a corrida vitoriosamente, revelando mais tarde que havia pilotado durante as últimas vinte voltas da corrida apenas com duas marchas. Conseguir ter o controle da máquina dessa maneira é a demonstração máxima de determinação e talento. Faz a gente perceber que o lado físico do nosso mundo só representa um limite se nossa determinação for fraca; um verdadeiro campeão pode realizar coisas que uma pessoa normal consideraria impossível.

Denny reduziu seu horário de trabalho para poder levar Zoë à pré-escola. À noite, depois do jantar, lia para ela e a ajudava a aprender os números e as letras. Passou a fazer todas as compras do mercado e a cozinhar. Assumiu a limpeza da casa. E fazia tudo de forma excelente e sem reclamar. Ele queria evitar que Eve ficasse sobrecarregada, que tivesse qualquer trabalho que a deixasse estressada. Mas o que ele não conseguia mais, com todo o trabalho extra que estava realizando, era continuar a tratá-la com seu jeito brincalhão e carinhoso que eu estava acostumado a ver. Era impossível fazer tudo; estava claro que ele havia decidido que os cuidados com sua saúde teriam prioridade total. E eu acreditava que essa era a coisa certa a fazer naquela circunstância. E ele podia contar comigo.

Em vez de cinza, vejo verde. Em vez de vermelho, vejo preto. Por acaso isso me torna potencialmente ruim? Se você me ensinasse a ler e me desse o mesmo computador que deram ao Stephen Hawking, eu também escreveria livros incríveis.* E mesmo assim você não me ensina a ler, e não me dá um teclado especial de computador no qual eu possa mexer com meu nariz para mostrar a próxima carta que quero escrever. Por isso, de quem é a culpa por eu ser o que sou?

Denny não deixou de amar Eve, ele simplesmente me delegou a tarefa de demonstrar seu amor. Eu me transformei em provedor de amor e consolo por procuração. Quando ela piorava, ele ficava tomando conta de Zoë e a tirava da casa para ver um dos muitos filmes maravilhosos de animação feitos para crianças para que ela não ouvisse os gritos de agonia da mãe, e eu ficava em casa. Ele confiava em mim. Ele me pedia, enquanto ele e Zoë aprontavam suas garrafas

* O autor se refere a Stephen Hawking, um dos mais consagrados físicos do mundo, que, por possuir uma doença degenerativa, deixou de utilizar o computador manualmente e começou a fazê-lo por intermédio de óculos com raios infravermelhos. Os raios eram direcionados às letras do teclado por movimentos faciais de Hawking. (N. do E.)

de água e seus biscoitos recheados especiais sem gordura hidrogenada que ele comprava para ela no mercado, ele pedia:

— Fique tomando conta dela para mim, Enzo, por favor.

E eu tomava. Eu tomava conta dela me aninhando ao lado da cama ou, se ela tivesse caído no chão, me aninhando ao seu lado onde ela estivesse. Muitas vezes, ela me puxava para perto, e me apertava contra seu corpo, e, quando fazia isso, me contava coisas sobre a dor que sentia.

Eu não consigo ficar deitada em silêncio. Eu não consigo ficar sozinha com isto. Preciso gritar e dar socos, porque parece que a dor se afasta quando grito. Quando fico em silêncio, ela me encontra, ela me identifica e penetra em mim, e diz: "Agora eu te peguei! Agora você me pertence!".

Demônio. Gremlin. Poltergeist. Ghost. Fantasma. Espírito. Sombra. Espírito maligno. Diabo. As pessoas têm medo deles, por isso relegam sua existência às histórias, aos livros que podem ser fechados e colocados nas prateleiras ou esquecidos em um hotel; elas fecham bem os olhos para não ver o mal. Mas acredite quando digo que a zebra existe de verdade. Em algum lugar, a zebra está dançando.

A primavera finalmente se despediu de nós com um inverno excepcionalmente úmido, repleto de dias cinzentos e muita chuva, e um frio cortante que eu não poderia chamar de revigorante. Durante o inverno, Eve se alimentou muito mal e acabou ficando só pele e osso. Quando sentia dor, passava dias sem comer o que quer que fosse. Ela não se exercitava, por isso seu corpo não tinha tônus; era uma pele sem vida sobre ossos frágeis. Ela estava desaparecendo. Denny se preocupava, mas Eve nunca cedeu às suas súplicas para que procurasse um médico. Um caso leve de depressão, ela dizia. Eles iriam tentar lhe dar remédios e ela não queria tomar remédios. E uma noite, depois do jantar, em um dia que era especial, embora não me lembre se era aniversário de um deles ou do casamento, Denny de repente apareceu pelado no quarto e Eve estava nua na cama.

Para mim aquilo pareceu muito estranho porque fazia tempo que eles não se enroscavam nem sequer brincavam um com o outro. Mas ali estavam eles. Ele se posicionou em cima dela e ela disse:

— O campo está fértil.

— Você não está falando sério, está? — ele perguntou.

— Apenas continue — ela respondeu depois de um momento, com os olhos turvos, enterrados profundamente nas cavidades oculares e engolidos pela pele distendida, sugerindo qualquer coisa, menos fertilidade.

— Eu adoro a fertilidade — ele disse.

No entanto, aquela troca parecia fraca, sem entusiasmo. Ela fez barulho, mas estava fingindo, eu podia jurar, porque no meio de tudo ela olhou para mim e mexeu a cabeça, e me mandou embora. Respeitosamente, me retirei para outro quarto e peguei num sono leve. E, se bem me lembro, sonhei com corvos.

13

Eles ficam nas árvores e nos fios elétricos e nos telhados, e ficam observando tudo, os canalhas sinistros. Eles fazem um ruído sombrio, como se estivessem gozando de você, sempre grasnando; eles sabem onde você está quando está em casa, eles sabem onde você está quando está fora; estão sempre esperando. Primos distantes das aves de rapina, são raivosos e furiosos, amargos por terem definhado geneticamente por causa de seus irmãos. Dizem que as aves de rapina são o próximo estágio do homem na cadeia evolucionária. As aves de rapina, afinal de contas, criaram o homem, segundo as lendas dos nativos da costa do Pacífico. (É interessante observar que a divindade que corresponde às aves de rapina no folclore dos indígenas das Grandes Planícies da América do Norte é o coiote, que é um cão. Por isso me parece que nos misturamos no topo da cadeia alimentar espiritual.) Portanto, se as aves de rapina criaram o homem, e se o corvo é primo das aves de rapina, onde é que o corvo se encaixa?

O corvo se encaixa no lixo. Muito esperto, muito astuto, seus melhores atributos se manifestam quando emprega seu pequeno gênio malévolo para abrir uma lata de lixo ou quando consegue pegar um pedaço de comida através de algum tipo de vedação. Eles são a escória, criaturas de bandos, chamados assassinos quando estão em um grupo. Boa palavra, porque, quando estão juntos, dá vontade de matá-los.

Nunca corro atrás dos corvos. Eles se afastam saltitando, provocando, tentando ludibriar você para que comece uma perseguição em que você irá se machucar. Tentam levar você a algum lugar distante, onde possam fazer de você também parte do lixo. É verdade. Às vezes, quando tenho pesadelos, sonho com corvos. Com um assassinato cometido por eles. Atacando-me impiedosamente, me despedaçando cruelmente. É muito ruim.

Quando mudamos para nossa casa, aconteceu uma coisa com os corvos, e é por isso que eu sei que eles me odeiam. É ruim ter inimigos. Denny sempre recolheu os meus dejetos em pequenos saquinhos biodegradáveis. Faz parte do que as pessoas se dispõem a fazer como penitência por sua necessidade de manter os cães sob supervisão estrita. Elas precisam recolher nossos excrementos do meio da grama com um saquinho plástico virado do lado do avesso. Precisam pegar aquilo com as mãos e manipulá-lo. Mesmo com a barreira do plástico, é uma tarefa que não lhes dá prazer por causa do cheiro, ainda que seu olfato não seja sofisticado o bastante para distinguir as sutilezas das camadas de odor e seu significado.

Denny recolhia os pequenos sacos com cocô e os guardava em uma sacolinha de supermercado. Depois, ele jogava a sacola maior em uma lata de lixo do parque que fica na subida da rua. Acho que ele não queria poluir a própria lata de lixo com sacos que contivessem minhas fezes. Eu não sei.

Os corvos, que se orgulham de serem primos das aves de rapina, sendo portanto muito espertos, adoram ir atrás de uma sacola de mercado. E, em muitas ocasiões, vieram atrás de uma sacola deixada na varanda, enquanto Eve ou Denny iam trazendo as sacolas aos poucos para dentro. Eles conseguem chegar perto e ir embora muito depressa, talvez encontrar um biscoito ou algo parecido e sair voando rapidamente.

Certa vez, quando eu era novo, os corvos perceberam que Eve estava chegando em casa com sacolas de mercado e se reuniram nas proximidades, agrupando-se em uma árvore que ficava bem na ponta do terreno de casa, muitos deles. Ficaram em silêncio, sem querer chamar atenção para si mesmos, mas eu sabia que estavam lá. Eve tinha estacionado o carro na entrada da casa, e fez várias viagens com as sacolas do carro até a varanda, e, depois, da varanda para dentro de casa. Os corvos ficaram observando. E perceberam que Eve deixou uma das sacolas para trás.

Bom. Eles são espertos, não há como negar, pois não se mexeram imediatamente. Ficaram observando e esperaram até Eve subir as escadas e tirar a roupa e entrar na banheira, como costumava fazer nas tardes em que não ia trabalhar. Eles observaram e se certificaram de que a porta de trás estava fechada e trancada para que ladrões e seqüestradores não pudessem entrar, de maneira que eu também não conseguiria sair. Só então decidiram se mexer.

Eles desceram precipitadamente, vários deles, e pegaram a sacola com os bicos. Um deles me provocou andando até a janela, tentando fazer com que eu latisse. Normalmente, eu teria resistido à vontade, só para irritá-los, mas, sabendo o que eu sabia, lati algumas vezes, o suficiente para convencê-los. Eles não foram muito longe. Queriam me ridicularizar. Queriam que eu os visse se deliciando com as gostosuras da sacola, por isso pararam dentro do quintal, na grama, o grupo inteiro. Eles dançaram em círculos e fizeram caretas para mim e bateram as asas e chamaram os amigos. Abriram o plástico e mergulharam de bico para comer a comida maravilhosa e as coisas deliciosas que estavam lá dentro, e comeram. Eles engoliram, aqueles pássaros idiotas; comeram o que estava na sacola e engoliram com júbilo. E engasgaram com quantidades gigantescas da minha merda.

Minha merda!

Ah, as caras que eles fizeram! O silêncio estupefato. A indignação! As cabeças se debatiam, e eles levantaram vôo em massa para a casa do vizinho de cima, que tinha uma fonte, para poder lavar os bicos.

Depois eles voltaram. Limpos e bravos. Centenas deles. Ficaram na varanda dos fundos e no gramado atrás da casa, e eram tantos que pareciam uma camada ondulante de piche e penas, com todos os olhinhos pequenos e brilhantes cravados em mim, me fitando fixamente, como se dissessem: Saia daí, cachorrinho, que vamos arrancar seus olhos!

Eu não saí. E logo eles foram embora. Mas quando Denny chegou em casa depois do trabalho naquele dia, deu uma olhada nos fundos. Eve estava preparando o jantar, e Zoë, que ainda era muito pequena, estava em sua cadeira de bebê. Denny olhou para fora e perguntou:

— Por que tanta sujeira de cocô de pássaros na varanda?

Eu sabia. Se tivesse um computador como o do Stephen Hawking, poderia ter feito uma ótima piada com essa informação.

Ele saiu e ligou a mangueira e lavou a varanda. E juntou os saquinhos de cocô rasgados, surpreso, mas sem fazer perguntas. As árvores, os fios telefônicos e os fios elétricos estavam carregados de pássaros, todos observando. Eu não saí atrás dele. E, quando ele quis sair para atirar a bola, fingi que estava doente e subi para a minha cama, e dormi.

Foi muito engraçado olhar aqueles pássaros idiotas que se acham tão espertos com seus bicos cheios de merda de cachorro. Mas, como ocorre com todas as coisas, isso teve repercussões: desde essa época, os meus pesadelos têm sempre corvos enfurecidos.

Com um assassinato cometido por eles.

14

Os sinais estavam bem ali, mas eu não consegui interpretá-los corretamente. Ele havia passado todo o inverno jogando um videogame de corridas obsessivamente, o que não era do seu feitio. Ele nunca fora muito ligado em jogos de corridas. Porém naquele inverno ele jogou todas as noites depois de Eve ir para a cama. E só corria em circuitos norte-americanos. St. Petersburg e Laguna Seca. Road Atlanta e Mid-Ohio. Eu deveria saber só pelas pistas em que ele estava correndo. Ele não estava jogando um videogame; estava estudando os circuitos. Estava descobrindo os pontos de desaceleração e os pontos de frenagem. Eu o vi falando a respeito da precisão desses videogames, sobre como os pilotos descobriam que esses jogos podiam ser muito úteis para o reconhecimento de novos circuitos. Mas nunca pensei...

E sua alimentação: nada de álcool, açúcar ou frituras. Sua atividade física: corrida várias vezes por semana, natação, musculação na garagem do grandalhão que morava na mesma rua e que começara a levantar pesos quando estava na prisão. Denny estava se preparando. Ele estava magro e forte e pronto para competir em um carro de corrida. E eu sequer percebi todos esses sinais. No entanto acredito que me deixei enganar. Porque, quando ele desceu as escadas naquele dia de março com sua mochila de corrida e sua mala de rodinhas, e a maleta especial do capacete Helmet-and-Hans, Eve e Zoë pareciam saber que ele iria partir. Ele havia contado a *elas*. Ele não tinha contado para *mim*.

A partida foi estranha. Zoë estava ao mesmo tempo entusiasmada e nervosa. Eve estava com uma expressão sombria, e eu estava extremamente confuso. *Para onde ele estava indo*? Ergui as sobrancelhas, levantei as orelhas, e inclinei a cabeça; usei todas as expressões faciais de que dispunha para tentar conseguir alguma informação.

— Sebring — ele me disse, lendo os meus pensamentos, como costuma fazer às vezes. — Consegui o lugar no carro de turismo, não contei a você?

O carro de turismo? Mas ele havia dito que jamais estaria disposto a fazer isso! Nós havíamos concordado nesse ponto.

Eu estava ao mesmo tempo orgulhoso e arrasado. Um fim de semana de corrida significa pelo menos três noites fora de casa, às vezes quatro, quando o evento acontece do outro lado do país, e são onze corridas em um período de oito meses. Ele ficaria fora uma boa parte do tempo! Estava preocupado com o bem-estar emocional daqueles que ficariam em casa.

Mas tenho um coração de piloto, e um piloto jamais permite que algum acontecimento anterior afete o que está ocorrendo agora. A notícia de que ele havia ficado com o lugar no carro de turismo e estava viajando para Sebring para correr na ESPN 2 era muito boa. Ele finalmente estava fazendo o que deveria estar fazendo. Não estava esperando ou se preocupando com todo mundo. Estava cuidando de si mesmo. Um piloto de corrida tem de ser muito egoísta. Essa é a dura verdade: até mesmo sua família deve vir depois da corrida.

Balancei o rabo entusiasticamente, e ele sorriu para mim, com um brilho nos olhos. Ele sabia que eu entendia tudo que dizia.

— Agora seja um bom garoto — ele ordenou em tom de brincadeira. — Cuide das meninas.

Ele abraçou a pequena Zoë e beijou Eve delicadamente, mas quando se afastou ela se atirou em seu peito e o abraçou com força. Ela enfiou a cabeça no ombro dele, o rosto vermelho e turvado pelas lágrimas.

— Por favor, volte pra casa — ela pediu, as palavras abafadas pelo corpo dele.

— É claro que eu volto.

— Por favor, volte — ela repetiu.

Ele fez um carinho nela.

— Prometo que vou voltar inteirinho.

Ela balançou a cabeça, ainda pressionada contra seu corpo.

— Não ligo se vai estar inteirinho. Só prometa que vai *voltar*.

Ele olhou rapidamente para mim, como se eu pudesse explicar o que ela realmente queria dizer. Estava dizendo para que ele voltasse vivo? Ou que voltasse e não a deixasse? Ou outra coisa completamente diferente? Ele não sabia.

Contudo, eu sabia exatamente o que ela queria dizer. Eve não estava preocupada com a possibilidade de Denny não voltar, ela estava preocupada consigo mesma. Ela sabia que havia algo errado com ela, apesar de não saber o que era, e tinha medo de que aquilo voltasse de forma terrível quando Denny não estivesse conosco. Eu também estava preocupado, com a lembrança da zebra ainda na cabeça. Não podia explicar isso a Denny, mas podia tomar a decisão de me manter firme durante sua ausência.

— Prometo — ele respondeu, esperançoso.

Depois que ele saiu, Eve fechou os olhos e respirou profundamente. Quando os abriu de novo, olhou para mim, e eu pude ver que ela também havia tomado uma decisão em relação a si mesma.

— Eu insisti para que ele fosse — ela me contou. — Acho que será bom para mim; vou ficar mais forte.

Aquela era a primeira corrida da série, e não foi uma boa corrida para Denny, apesar de tudo ter andado bem para mim, Eve e Zoë. Assistimos pela TV, e, na fase de classificação, Denny ficou entre os três primeiros da categoria. Mas, logo no começo da corrida, ele teve de parar por causa de um pneu cortado; o mecânico da equipe teve problemas para montar a nova roda, e, quando Denny conseguiu voltar para a corrida, estava uma volta atrás, e não conseguiu se recuperar. Ficou em vigésimo quarto lugar.

A segunda corrida aconteceu poucas semanas depois da primeira, e, mais uma vez, correu tudo bem comigo, Eve e Zoë. Para Denny, o resultado dessa corrida foi muito semelhante ao da primeira: ele sofreu uma punição "stop & go"* por causa de um vazamento de óleo, e isso lhe custou uma volta de atraso. Trigésimo lugar.

Denny ficou extremamente frustrado.

— Gosto dos rapazes — ele nos contou durante o jantar, quando veio para casa durante uma folga. — São ótimas pessoas, mas o trabalho nos boxes não está muito bom. Eles cometem muitos erros, estão matando a temporada. Se ao menos me dessem uma oportunidade para chegar ao final, eu chegaria bem.

— Você não pode conseguir outros mecânicos? — Eve perguntou.

Eu estava na cozinha, perto da sala de jantar. Nunca ficava na sala de jantar quando eles estavam comendo, por uma questão de respeito. Ninguém gosta de ter um cachorro embaixo da mesa procurando migalhas enquanto está comendo. Por isso eu não podia vê-los, mas podia escutar tudo. Denny pegando a travessa da salada e se servindo. Zoë empurrando os pedacinhos de frango pelo prato.

* A punição "stop and go" ocorre quando, por alguma infração cometida, o piloto é obrigado a parar nos boxes por determinado período de tempo, em geral entre cinco e dez segundos, conforme a punição. (N. do E.)

— Coma, querida — Eve falou. — Não fique brincando com a comida.

— O problema não está na qualidade dos homens, individualmente — Denny tentou explicar. — Está na qualidade da *equipe*.

— E como resolver isso? — Eve perguntou. — Você está passando tanto tempo fora, parece até perda de tempo. Qual é a vantagem de correr se você não consegue terminar? Zoë, é só você dar duas mordidas. *Coma*.

O barulho da alface sendo mastigada. Zoë bebendo do copo com canudo.

— Treino — Denny respondeu. — Treino, treino, treino.

— E quando você vai treinar?

— Eles querem que eu vá para Infineon na próxima semana, para trabalhar com o pessoal da Apex Porsche. Trabalhar duro com a equipe de mecânicos para que não haja mais erros. Os patrocinadores estão ficando frustrados.

Eve ficou em silêncio.

— A semana que vem é sua semana de folga — ela disse, finalmente.

— Não vou ficar muito tempo. Três ou quatro dias. A salada está ótima. Foi você mesma quem preparou o molho?

Não dava para ler a linguagem corporal porque eu não conseguia vê-los, mas algumas coisas os cães podem sentir. Tensão. Medo. Ansiedade. Esses estados emocionais são resultado de uma liberação química que emana do corpo humano. Totalmente psicológica; em outras palavras, involuntária. As pessoas gostam de acreditar que evoluíram e superaram o instinto, mas na verdade ainda respondem aos estímulos com reações do tipo "luta ou fuga". E, quando os corpos respondem, consigo sentir o cheiro da reação química que a glândula pituitária exala. A adrenalina, por exemplo, tem um odor bastante característico, que não é exatamente sentido, mas percebido. Sei que uma pessoa não consegue entender esse conceito, no entanto é a melhor maneira de descrevê-lo: é uma sensação alcalina no fundo da minha língua. Do lugar em que eu estava, ali no chão da cozinha, podia perceber a adrenalina emanando de Eve. Estava claro que ela havia se estruturado para suportar as ausências de Denny por causa das corridas, mas ela não estava preparada para os treinos inesperados em Sonoma, e tinha ficado com raiva e com medo.

Ouvi o barulho dos pés da cadeira riscando o chão ao ser empurrada para trás. Ouvi o barulho dos pratos sendo empilhados, a louça reunida nervosamente.

— Coma o seu frango — Eve falou novamente, desta vez com severidade.

— Estou satisfeita — Zoë declarou.

— Você não comeu nada. Como pode estar satisfeita?

— Não gosto de frango.

— Você não vai sair da mesa até comer o frango.

— EU NÃO GOSTO DE FRANGO! — Zoë gritou, e de repente o mundo se transformou em um lugar muito sombrio.

Ansiedade. Expectativa. Agitação. Antipatia. Todas essas emoções têm um cheiro característico, e muitos deles estavam saindo da sala de jantar naquele momento.

Depois de um longo silêncio, Denny falou:

— Vou fazer um cachorro-quente pra você.

— Não — Eve disse. — Ela vai comer o frango. Ela gosta de frango, só está fazendo manha. Coma!

Outra pausa, e então o barulho de uma criança com ânsia de vômito.

Denny quase caiu na risada.

— Vou fazer um cachorro-quente para ela.

— Ela vai comer o maldito frango! — Eve gritou.

— Ela não quer comer o frango. Eu vou fazer o cachorro-quente — Denny respondeu firmemente.

— Não, você não vai! Ela gosta de frango, só está fazendo isso porque você está aqui. Não vou fazer outro jantar todas as vezes que ela decidir que não gosta de alguma coisa. Ela pediu o maldito frango, e agora vai comer o maldito frango!

A fúria também tem um cheiro bastante característico.

Zoë começou a chorar. Fui até a porta e olhei para dentro. Eve estava em pé diante da cabeceira da mesa, o rosto ruborizado e cansado. Zoë soluçava sobre o frango. Denny ficou em pé para parecer mais alto. É importante para o homem alfa parecer mais alto. Muitas vezes, com uma simples questão de postura é possível derrotar um membro do bando.

— Você está exagerando — ele disse. — Por que você não vai se deitar e deixa que eu termine as coisas por aqui?

— Você sempre fica contra mim.

— Só quero que ela coma alguma coisa.

— Tudo bem — Eve suspirou. — Eu faço o cachorro-quente.

Eve saiu da mesa e quase tropeçou em mim ao entrar na cozinha. Abriu a porta do *freezer* e tirou um pacote de salsichas, abriu a torneira e ficou segurando o pacote embaixo da água. Pegou uma faca do balcão e enfiou no pacote, e foi então que uma discussão passível de ser esquecida se transformou em uma noite marcada por evidências inegáveis e permanentes. Como se fosse dotada de vontade própria e quisesse se envolver na briga, a faca saltou do pacote molhado e congelado e penetrou profundamente na palma da mão de Eve, entre o polegar e os outros dedos da mão.

A faca caiu dentro da pia, e Eve agarrou a mão gemendo. Gotas de sangue misturado com água começaram a manchar o chão. Denny apareceu correndo com um pano de prato.

— Deixe-me ver isso — ele pediu, levantando o pano cheio de sangue da mão cortada, que ela segurava pelo pulso como se não fizesse mais parte do seu corpo, mas como se fosse uma criatura alienígena que a tivesse atacado.

— É melhor irmos ao hospital — ele falou.

— Não! — ela gritou. — Hospital, não!

— Mas você precisa de pontos — ele disse, examinando o corte.

Ela não respondeu imediatamente, mas seus olhos estavam cheios de lágrimas. Não de dor, porém de medo. Ela tinha tanto medo de médicos e de hospitais! Ela tinha medo de entrar e de que não a deixassem mais sair.

— Por favor — ela sussurrou para Denny. — Por favor, hospital, não.

Ele resmungou e balançou a cabeça.

— Vou ver se consigo fechar esse corte — ele disse.

Zoë ficou em pé, ao meu lado, em silêncio, os olhos arregalados, segurando um pedaço de frango, olhando. Nós não sabíamos o que fazer.

— Zoë, querida — Denny pediu —, será que você pode pegar a caixa de curativos no armário do corredor? Vamos fazer um grande curativo na mamãe, certo?

Zoë não se mexeu. E como poderia? Ela sabia que era a responsável pela dor da mamãe. Era o seu sangue que Eve estava derramando.

— Zoë, por favor — Denny falou, ajudando Eve a ficar em pé. — É uma caixa azul e branca, com letras vermelhas. Procure a letra "C", de curativos.

Zoë saiu para procurar a caixa. Denny levou Eve até o banheiro e fechou a porta. Ouvi Eve chorando de dor.

Quando Zoë voltou com a caixa de curativos, não sabia para onde seus pais tinham ido, por isso eu a levei até o banheiro e lati. Denny abriu uma fresta da porta e pegou os curativos.

— Obrigado, Zoë. Agora eu vou cuidar da mamãe. Você pode ir brincar ou ver TV.

Ele fechou a porta.

Zoë olhou para mim por um instante, com o olhar cheio de preocupação; eu queria ajudá-la. Fui andando até a sala e olhei para trás.

Ela continuou hesitante, por isso voltei para buscá-la. Passei a cabeça nela e tentei de novo; desta vez ela me seguiu. Sentei na frente da televisão e esperei que ela a ligasse. E assistimos a um programa infantil. Então Denny e Eve apareceram.

Eles nos viram assistindo à televisão e pareceram aliviados. Sentaram perto de Zoë e ficaram assistindo conosco, sem dizer uma palavra. Quando acabou o programa, Eve pressionou um botão para tirar o som da TV.

— O corte não foi tão feio — ela disse para Zoë. — Se você ainda estiver com fome, posso fazer um cachorro-quente...

Zoë balançou a cabeça.

Então Eve começou a soluçar. Sentada no sofá, exposta para o mundo, ela desabou; dava pra ver sua energia implodindo.

— Eu sinto tanto — ela disse, chorando.

Denny colocou o braço em volta do seu ombro e a abraçou.

— Não quero ser assim — ela soluçou. — Não sou assim. Eu sinto tanto. Eu não quero ser má. Não sou má.

Cuidado, eu pensei. A zebra se esconde em toda parte.

Zoë abraçou sua mãe e a apertou, e as duas choraram copiosamente, e depois Denny se juntou a elas, cobrindo-as como se fosse um helicóptero do corpo de bombeiros, jogando um balde de lágrimas sobre o fogo.

Eu saí. Não porque senti que eles queriam privacidade, acredite. Saí porque senti que eles haviam resolvido seus problemas e estava tudo certo no mundo.

E também porque estava com fome.

Andei pela sala de jantar procurando alguma coisa no chão. Não havia muita coisa. Mas na cozinha encontrei algo bom: um pedaço de frango.

Zoë devia tê-lo deixado cair depois que Eve tinha se cortado. Para mim, parecia um bom pedaço, algo para enganar meu estômago até que eles encerrassem aquele momento de aconchego e se lembrassem de me dar algo para comer. Cheirei o pedaço de frango, e recuei, enojado. Estava ruim! Cheirei de novo. Estragado. Mofado. Carregado de doenças! O frango devia estar há muito tempo no *freezer*, ou talvez tivesse ficado fora do *freezer* por muito tempo. Ou as duas coisas, eu concluí, pois sou testemunha do pouco cuidado que as pessoas têm com as compras de mercado. Esse pedaço de frango — e provavelmente todos os outros do prato — estava definitivamente estragado.

Senti-me mal por Zoë: tudo que ela precisava ter feito era dizer que o gosto do frango não estava bom, e aquele incidente teria sido evitado. Mas Eve teria encontrado outra forma de se machucar, eu acho. Eles precisavam disso. Desse momento. Era importante para eles como família, e eu entendia.

No mundo automobilístico, eles dizem que seu carro vai para onde vão os seus olhos. O piloto que não consegue afastar seus olhos da parede quando roda sem controle acaba indo de encontro à parede; o piloto que continua olhando para a pista quando sente os pneus saírem do asfalto consegue recuperar o controle do carro.

Seu carro vai para onde vão seus olhos. É apenas outra maneira de dizer que o que você deseja já está à sua frente.

Eu sei que é verdade; o automobilismo não mente.

15

Quando Denny partiu na semana seguinte, fomos para a casa dos pais de Eve para eles tomarem conta de nós. A mão de Eve estava enfaixada, o que mostrava que o corte tinha sido pior do que ela dizia. Mas isso não fez com que ela diminuísse muito o ritmo.

Maxwell e Trish, os Gêmeos, moravam numa casa muito bacana em um grande terreno arborizado em Mercer Island, com uma vista incrível para o lago Washington e Seattle. E, por terem um lugar tão lindo para viver, estavam entre as pessoas mais infelizes que já conheci. Nada era bom o bastante para eles. Estavam sempre reclamando porque as coisas poderiam ser melhores ou porque as coisas eram tão ruins. Quando chegamos, começaram imediatamente a falar de Denny. *Ele não passa muito tempo com Zoë. Ele não está dando atenção ao relacionamento de vocês. Esse cachorro precisa de um banho.* Como se a *minha* higiene tivesse algo a ver com aquilo.

— O que é que você vai fazer? — Maxwell perguntou a ela.

Eles estavam na cozinha enquanto Trish preparava o jantar, fazendo alguma coisa que Zoë certamente iria detestar. Era um final de tarde quente de primavera, por isso os Gêmeos usavam calças compridas e camisetas pólo. Os dois estavam tomando manhattan com cereja e Eve, um copo de vinho. Ela havia recusado o analgésico que tinham lhe oferecido, um resto que sobrara da operação de hérnia de Maxwell alguns meses antes.

— Vou entrar em forma — Eve declarou. — Estou me sentindo gorda.

— Mas você está tão magra — Trish comentou.

— Você pode se sentir gorda, mesmo que seja magra. Estou me sentindo fora de forma.

— Ah.

— Eu estava falando a respeito de Denny — Maxwell continuou.

— O que eu preciso fazer em relação a Denny? — Eve perguntou.

— Alguma coisa! Qual é a contribuição dele para a família? É *você* quem coloca todo o dinheiro em casa!

— Ele é meu marido e é o pai de Zoë, e eu o amo. O que mais ele precisa fazer para contribuir com nossa família?

Maxwell soltou um urro e esmurrou o balcão. Eu estremeci.

— Você está assustando o cachorro — Trish falou, apontando para mim. Ela raramente me chamava pelo nome. Eu soube que eles fazem isso com prisioneiros de campos de guerra. Despersonalização.

— Só estou frustrado — Maxwell respondeu. — Quero o melhor para as minhas meninas. Sempre que vocês vêm para cá, é porque ele foi correr. Isso não é bom para vocês.

— Esta temporada é realmente importante para a carreira dele — Eve explicou, tentando manter-se leal. — Gostaria de poder me envolver mais, mas estou fazendo o melhor que posso, e ele dá valor a isso. O que eu não preciso é de você me cobrando.

— Sinto muito — Maxwell disse, erguendo as mãos em sinal de rendição. — Eu sinto muito. Só quero o melhor para você.

— Eu sei, papai. — Eve se inclinou para a frente e o beijou no rosto. — Também quero o que for melhor para mim.

Ela foi tomar seu vinho lá fora, no jardim dos fundos, e eu relaxei. Maxwell abriu a geladeira e tirou um pote com o pepperoni apimentado que ele gostava de comer. Estava sempre comendo esse tipo de salame. Abriu o vidro e enfiou os dedos no vidro, puxou um pepperoni comprido e deu uma mordida.

— Você viu como ela está frágil? — Trish perguntou. — Está parecendo um galgo. Mas está se *sentindo* gorda.

Ele balançou a cabeça.

— Minha filha, com um mecânico. Não, mecânico não. Um *técnico de atendimento ao consumidor*. Onde foi que erramos?

— Ela sempre fez as próprias escolhas.

— Mas pelo menos suas escolhas faziam sentido. Ela se formou em História da Arte, meu Deus. E acabou ficando com um sujeito desses?

— O cachorro está olhando para você — Trish afirmou depois de alguns instantes. — Talvez ele queira um salame.

A expressão de Maxwell mudou.

— Quer uma coisa gostosa, garotão? — ele perguntou, segurando o pepperoni.

Não era por isso que eu o olhava. Estava olhando para entender melhor o significado de suas palavras. Mesmo assim, estava com fome, por isso cheirei na direção do salame.

— Eles são bons. Importados da Itália.

Peguei o salame e imediatamente senti uma sensação picante na língua. Dei uma mordida, e minha boca se encheu com um líquido ardido. Engoli depressa e pensei que assim havia resolvido o problema do desconforto — certamente o ácido do meu estômago anularia o do salame —, mas foi aí que a dor realmente começou. Minha garganta doía como se estivesse em carne viva. Meu estômago começou a revirar. Saí imediatamente da casa. Do lado de fora da porta dos fundos, tomei um pouco de água da minha cumbuca, mas não ajudou muito. Fui até um arbusto e deitei embaixo. Descansei até passar a queimação.

Quando me levaram para fora naquela noite — saí com Trish e Maxwell, pois Eve e Zoë já tinham ido dormir havia muito tempo —, ficaram na varanda dos fundos repetindo aquela ladainha idiota: "Faça o que tem de fazer, rapaz; faça o que tem de fazer!". Ainda me sentia um pouco enjoado, e me afastei da casa um pouco mais do que de costume, então me agachei e defequei. Depois de resolver o assunto, vi que minhas fezes estavam moles e aguadas, e, quando as cheirei, senti um odor pútrido. Sabia que estava bem e que o pior havia passado; ainda assim, desde essa época, tomo cuidado ao experimentar coisas novas que possam desregular meu metabolismo, e parei de aceitar comida de alguém em quem não confiasse totalmente.

16

As semanas passaram com uma rapidez tremenda, como se chegar ao outono fosse a missão mais importante do mundo. A primeira conquista não demorou a chegar: Denny obteve sua primeira vitória em Laguna no começo de junho, conseguiu subir ao pódio — terceiro lugar — em Road Atlanta, e terminou em oitavo lugar em Denver. Durante aquela semana em Sonoma, ele conseguira resolver as dificuldades com os mecânicos, e a responsabilidade tinha ficado toda em seus ombros. E os ombros de Denny eram largos.

No verão, quando nos reunimos em torno da mesa de jantar, tínhamos algo para comentar. Troféus. Fotografias. Reprises na televisão no fim da noite. De repente, as pessoas estavam nos visitando, aparecendo para jantar. E não era só o Mike, do trabalho — onde eles não tinham problema algum para lidar com a agenda maluca de Denny —, mas havia também outras pessoas. Derrike Cope, veterano da Nascar; Chip Hanauer, membro do Motorsports Hall of Fame. Fomos apresentados até para Luca Pantoni, homem muito poderoso da Ferrari em Maranello, Itália, que estava em Seattle visitando Don Kitch Jr., primeiro instrutor de corrida de Seattle. Eu nunca quebrei minha regra em relação à sala de jantar, sou íntegro demais para isso. No entanto, fiquei sentado bem na beirada da porta, posso garantir. Com a ponta das patas bem na soleira para poder ficar mais próximo da magnitude. Aprendi mais a respeito de automobilismo naquelas poucas semanas do que havia aprendido em todos os anos que passara assistindo a fitas de vídeo e programas de televisão; ouvir o venerável Ross Bentley, treinador de campeões, falar sobre respiração — *respiração!* — foi uma coisa absolutamente incrível.

Zoë não parava de conversar; tinha sempre algo a dizer, algo a mostrar. Ela ficava sentava nos joelhos de Denny com os olhos grandes absorvendo cada palavra da conversa, e no momento apropriado dizia alguma máxima automobilística que Denny lhe ensinara – "mãos lentas com as coisas rápidas, mãos rápidas com as coisas lentas", ou algo do gênero —, e todos aqueles grandes homens ficavam impressionados. Nesses momentos, eu sentia muito orgulho dela; como não poderia impressionar os homens do automobilismo com meus próprios conhecimentos, a melhor coisa que poderia haver era viver essa experiência através de Zoë.

Eve voltou a ficar feliz: ela fez o que chamava de "sessões de canseira" e ganhou tônus muscular, e estava sempre chamando a atenção de Denny para as necessidades de seu campo fértil, às vezes com muita urgência. Sua saúde havia melhorado muito sem nenhuma explicação: passaram as dores de cabeça, passaram as náuseas. Ela continuou a ter problemas com a mão machucada e às vezes usava um protetor no pulso para ajudá-la quando estava cozinhando. Ainda assim, pelo que conseguia ouvir do quarto no fim da noite, suas mãos haviam conservado toda a flexibilidade necessária para manter sua felicidade e a de Denny.

Entretanto, depois de todo cume de montanha existe um vale. A próxima corrida era muito importante, pois uma boa chegada firmaria a posição de Denny como revelação do ano. Na largada, no Circuito Internacional de Phoenix, Denny ficou na primeira pista.

Uma das leis do automobilismo diz: não se ganha uma corrida na primeira curva, mas muitas são perdidas aí.

Denny se deu mal logo na saída. Alguém tentou frear em cima, indo para o canto externo da pista e prendendo-o lá. Os pneus não funcionam quando perdem a aderência. Ele derrapou, e o compressor bateu na roda dianteira esquerda de Denny, acabando com o alinhamento do carro. A suspensão ficou tão torta que o carro se arrastou pela pista, fazendo com que ele perdesse segundos preciosos nessa volta.

Alinhamento, suspensão, aderência, derrapagem: puro jargão. São apenas os termos que usamos para explicar os fenômenos ao nosso redor. O que importa não é a precisão para explicar os acontecimentos, mas o acontecimento em si e sua conseqüência, que foi a quebra do carro de Denny. Ele terminou a corrida, porém terminou como FDP. Foi o que ele disse quando me contou a respeito. Uma nova categoria. Existe o NC: Nem Começou. Existe o NT: Não Terminou. E havia o FDP: o Filho da Puta do Último Lugar.

— Simplesmente não é justo — Eve falou. — A culpa foi do outro piloto.

— A culpa não foi de ninguém. Foi minha por estar onde poderia ser controlado.

Isso era algo que ele já tinha dito: é inútil ficar irritado com outro piloto por causa de um incidente na pista. Você precisa ficar atento aos pilotos que estão ao seu redor, entender sua habilidade, níveis de confiança e agressividade, e pilotar ao lado deles apropriadamente. É preciso conhecer quem está por perto. Qualquer problema que aconteça, em última análise, foi provocado por você, porque você é responsável pelo que está fazendo lá.

Ainda assim, com ou sem culpa, Denny estava arrasado. Zoë estava arrasada. Eve estava arrasada. Eu estava dizimado. Havíamos chegado tão perto da magnitude. Havíamos sentido o cheiro, e cheirava a lombo assado. Todo mundo gosta do cheiro de lombo assado. Mas o que é pior: sentir o cheiro do assado e não festejar, ou não sentir cheiro algum?

Agosto foi um mês quente e seco, e a grama de toda a vizinhança ficou marrom e pereceu. Denny passou o tempo fazendo contas. Pelos seus cálculos, ainda era possível acabar entre os dez primeiros da série e talvez até ganhar o título de estreante do ano, e qualquer um desses resultados garantiria sua participação no ano seguinte.

Sentamos na varanda dos fundos aproveitando o sol do fim de tarde, sentindo o cheiro que vinha da cozinha, dos biscoitos de aveia que Denny havia feito. Zoë estava correndo em volta do esguicho. Denny, massageando a mão de Eve delicadamente, dando-lhe vida. Eu estava deitado, fazendo a minha melhor imitação de um iguana: absorvendo todo o calor que podia para aquecer meu sangue, com a esperança de que, se absorvesse o suficiente, conseguiria suportar o inverno, que provavelmente seria duro, frio, escuro e amargo, como costuma anunciar o verão quente de Seattle.

— Talvez não tenha de acontecer — Eve lamentou.

— Vai acontecer quando tiver de acontecer — Denny falou.

— Mas você nunca está aqui quando estou ovulando.

— Então por que você não vem comigo na semana que vem? Zoë vai adorar; podemos ficar em um lugar com piscina. Ela adora qualquer coisa com piscina. E você pode assistir à corrida na pista.

— Não posso ir até a pista — disse Eve. — Não agora. Quer dizer, eu gostaria de ir, realmente gostaria. Mas tenho me sentido bem ultimamente, sabia? E... eu tenho medo. Faz tanto barulho na pista, e muito calor, e o cheiro de borracha e de gasolina, e a estática do rádio no meu ouvido, e todo mundo gritando para que os outros possam ouvir. Pode ser ruim. Eu poderia ter uma reação muito ruim.

Denny sorriu e suspirou. Até mesmo Eve acabou rindo.

— Você entende? — ela perguntou.

— Entendo.

Eu também entendia. Tudo que ela tinha dito a respeito da pista. O barulho, o cheiro. Caminhar pelo padoque e sentir a energia, o calor dos motores de corrida saindo de cada um dos boxes. A eletricidade que percorre o padoque quando o alto-falante anuncia o próximo grupo para a formação do *grid*. Assistir ao frenético embaralhar dos carros na largada, e então imaginar as possibilidades, juntar a história do que está ocorrendo quando os carros estão fora de vista em outras partes do circuito até eles aparecerem de novo na linha de chegada/partida em uma ordem completamente diferente, desviando uns dos outros, se aglomerando e completando voltas, e mergulhando para a próxima volta, que pode virar tudo de cabeça para baixo de novo. Denny e eu nos alimentávamos disso, isso nos enchia de vida. Mas eu entendia perfeitamente que algo que enche alguns de energia poderia ser tóxico para outras pessoas, especialmente Eve.

— Talvez possamos usar o recheador de peru como seringa de inseminação — Denny falou, e Eve caiu na risada; riu como havia muito tempo eu não via. — Eu poderia deixar pra você alguns candidatos a bebês na geladeira — ele sugeriu, e ela riu ainda mais. Não entendi a piada, mas Eve a achou muito engraçada.

Ela ficou em pé e entrou na casa, reaparecendo pouco depois com o recheador de peru que tinha ido buscar na cozinha. Ficou examinando o objeto com olhar malicioso, correu os dedos pelo comprimento.

— Hummmm — ela disse. — Talvez.

Eles riram juntos e olharam para o gramado, e eu acompanhei o olhar deles e nós três ficamos olhando para Zoë, com o cabelo molhado grudado nos ombros. Seu biquíni infantil e os pés bronzeados. Pura alegria enquanto corria em círculos ao redor do esguicho. Seus gritinhos e risos ecoando pelas ruas do Central District.

17

Seu carro vai para onde vão seus olhos.

Fomos para Denny Creek, não porque tivesse o nome igual ao de Denny, mas por ser um passeio bacana; Zoë usando seu primeiro par de tênis para caminhadas, e eu andando solto sem a coleira. O verão em Cascades é sempre agradável, fresco sob os inúmeros cedros e carvalhos, o caminho amaciado por diversas pegadas, facilitando as longas caminhadas; fora da trilha — que os cães preferem —, uma camada fofa e macia de folhas caídas que se decompõem e alimentam as árvores formando uma cadeia constante de nutrientes. E o cheiro!

O cheiro teria provocado uma ereção se eu ainda tivesse testículos. Riqueza e fertilidade. Nascimento e morte, e alimento e deterioração. Esperando. Apenas esperando para que alguém sentisse o cheiro, que repousava sobre o terreno em camadas, cada odor diferenciado com a própria hierarquia aromática, seu próprio lugar. Um olfato apurado como o meu consegue separar, identificar, apreciar cada odor. Raramente me deixo levar, treinando para ser tão contido quanto os homens, mas, naquele verão, considerando a alegria que estávamos todos sentindo — o sucesso de Denny e a exuberância de

Zoë, e até mesmo de Eve, que estava leve e solta —, naquele dia corri loucamente pelos bosques, como um cão ensandecido, mergulhando nos arbustos, saltando sobre as árvores caídas, perseguindo delicadamente os esquilos, latindo para as aves, rolando e coçando as costas nos gravetos e folhas e espinhos e terra.

Caminhamos pelas trilhas, subimos e descemos colinas, passamos por raízes e rochas, chegando até o Slippery Slabs, como é chamado o lugar onde o rio corre por cima de uma série de pedras grandes, achatadas, formando piscinas em alguns pontos, correndo solto em outros. As crianças adoram o Slippery Slabs, pois podem deslizar e brincar nas pedras e piscinas naturais. E então chegamos e eu tomei um pouco de água, fria e fresca, fruto da neve derretida após o inverno. Zoë e Denny e Eve tiraram a roupa e ficaram em trajes de banho brincando na água. Zoë já tinha idade suficiente para ficar sozinha em algumas partes, e Denny ficou na parte mais funda, Eve na parte mais rasa, e juntos ajudaram Zoë a escorregar, Eve empurrando e Zoë descendo pela pedra. Quando estavam secas, dava para ficar em cima das pedras, mas, quando molhadas, formava-se uma camada que as deixava bastante escorregadias. E ela ia escorregando, gritando e esperneando, caindo na água fria aos pés de Denny; ele a pegava e a devolvia para Eve, que a empurrava de novo. E de novo.

As pessoas, como os cachorros, adoram a repetição. Correr atrás de uma bola, dar várias voltas em um carro de corrida, escorregar em um escorregador. Porque, por mais que pareça a mesma coisa, ainda assim é diferente. Denny subia a pedra correndo e entregava Zoë. Voltava para seu lugar na piscina. Eve colocava Zoë na água; ela gritava e se debatia brincando, escorregava pela pedra e era pega por Denny novamente.

Até que... Eve colocou Zoë na água, mas, em vez de gritar e espernear, Zoë tirou os pés da água gelada de repente, desequilibrando Eve. Ao perder o equilíbrio, Eve conseguiu colocar Zoë em um lugar seguro em cima da pedra seca, porém seu movimento foi muito abrupto, muito repentino. Enfiou os pés na água, mas não percebeu o quanto eram escorregadias as pedras.

Suas pernas desabaram. Ela tentou se agarrar em algo, contudo sua mão agarrou apenas o ar; seu punho se fechou, vazio. Sua cabeça bateu na pedra fazendo muito barulho, e um estalo. Ela bateu e estalou e bateu de novo, como uma bola de borracha.

Ficamos parados, durante um momento que pareceu muito longo, esperando para ver o que iria acontecer. Eve ficou imóvel, e lá estava Zoë de novo, sem saber o que fazer. Ela olhou para o pai, que se aproximou rapidamente das duas.

— Você está bem?

Eve piscou os olhos, dolorosamente. Tinha sangue na boca.

— Eu mordi a língua — ela disse, meio tonta.

— Como está sua cabeça?

— Está doendo.

— Você consegue voltar para o carro?

Fui na frente, conduzindo Zoë, enquanto Denny ajudava Eve. Ela não cambaleava, mas não tinha senso de direção nenhum, e quem sabe aonde teria ido parar se não tivesse alguém com ela. Começava a anoitecer quando fomos para o hospital em Bellevue.

— Você provavelmente sofreu uma concussão leve. Mas eles precisam dar uma olhada.

— Estou bem — Eve não cansava de repetir. No entanto era óbvio que ela não estava bem. Estava desorientada e falando com a voz enrolada, e deixava pender a cabeça, mas Denny a acordava, dizendo que não era bom pegar no sono quando alguém sofria uma concussão.

Eles entraram e eu fiquei no carro, com uma pequena abertura nas janelas. Ajeitei-me no minúsculo banco do passageiro do BMW 3.0 CSi de Denny e me forcei a dormir; quando durmo, não sinto tanta necessidade de urinar quanto sinto quando estou acordado.

18

Na Mongólia, quando morre um cachorro, ele é enterrado no alto de uma montanha para que as pessoas não possam andar sobre seu túmulo. O mestre do cachorro sussurra no ouvido do cão o seu desejo de que ele volte como homem na próxima vida. Então o seu rabo é cortado e colocado debaixo da sua cabeça, e um pedaço de carne ou gordura é colocado em sua boca para sustentar sua alma em sua jornada; antes de reencarnar, a alma do cão é libertada para viajar pelo país, para correr pelas planícies do deserto durante o tempo que quiser.

Vi isso em um programa do National Geographic Channel, por isso acredito que seja verdade. Nem todos os cães voltam como homens, eles dizem; só os que estão preparados.

Estou preparado.

19

Denny demorou horas para voltar, e voltou sozinho. Ele me deixou sair, e eu mal consegui me mover do lugar e já estava soltando uma torrente de urina no poste que ficava diante de mim.

— Desculpe, rapaz — ele falou. — Não me esqueci de você.

Quando terminei, ele abriu um pacote de biscoitos recheados com manteiga de amendoim, que devia ter conseguido em uma dessas máquinas que vendem coisas. Adoro esses biscoitos. A manteiga e o sal e o amendoim, tudo misturado com os biscoitos. Tentei comer devagar, saboreando cada mordida, mas estava com muita fome e engoli tudo tão depressa que mal consegui sentir o sabor. Que pena desperdiçar algo tão maravilhoso com um cachorro. Às vezes odeio muito o que sou.

Ficamos sentados na calçada durante um bom tempo, sem falar nada. Ele parecia chateado, e, quando ficava chateado, eu sabia que a melhor coisa a fazer era mostrar que podia contar comigo. Por isso deitei perto dele e esperei.

Os estacionamentos são lugares estranhos. As pessoas gostam tanto de seus carros quando eles estão em movimento, mas se afastam deles rapidamente quando param. As pessoas detestam ficar muito tempo sentadas em um carro parado. Elas têm medo de que alguém possa julgá-las por isso, eu acho. As únicas pessoas que ficam sentadas em carros parados são policiais e vigias, e às vezes os motoristas de táxi, durante um intervalo, mas normalmente só enquanto estão comendo. Mas eu posso ficar sentado dentro de um carro parado durante horas e ninguém pensa em me questionar. É estranho. Eu poderia estar à espreita, e aí... o que iria acontecer? Porém, naquele estacionamento de hospital, com seu telhado escuro, realmente preto, quente como uma blusa que acabou de ser tirada do corpo, e as linhas brancas pintadas com precisão cirúrgica, as pessoas estacionavam seus carros e corriam para longe. Desapareciam no interior do prédio. Ou saíam correndo do prédio e entravam nos carros, com pressa para ir embora, sem ajustar o retrovisor, sem olhar para os instrumentos, como em um carro pronto para a fuga.

Denny e eu ficamos sentados durante bastante tempo, observando, quem chegava e quem partia, e nada fazíamos, além de respirar; não precisávamos conversar para nos comunicar um com o outro. Depois de um tempo, um carro entrou no estacionamento e parou perto de nós. Era lindo, um Alfa Romeo GTV 1974 verde-escuro, com um teto solar de tecido, novinho em folha. Mike saiu lentamente e veio em nossa direção.

Eu o cumprimentei, e ele passou a mão na minha cabeça, mecanicamente. Aproximou-se de Denny e sentou no meu lugar. Tentei alegrar o ambiente porque os ânimos estavam muito para baixo, mas Mike me empurrou quando tentei chegar perto dele.

— Eu agradeço muito por isso, Mike — Denny falou.

— Ei, cara, não se preocupe. E quanto a Zoë?

— O pai de Eve veio buscá-la e a colocou para dormir.

Mike assentiu com a cabeça. O barulho dos grilos era mais alto do que o da estrada, mas não muito. Ficamos escutando, um concerto de grilos, vento, folhas, carros, e ventiladores do teto do hospital.

Eis por que serei uma boa pessoa. Porque eu escuto. Não posso falar, por isso escuto muito bem. Nunca interrompo, nunca mudo o rumo da conversa com um comentário pessoal. As pessoas, se você prestar atenção nelas, mudam o rumo da conversa constantemente. É como ter um passageiro dentro do carro que de repente pega o volante e entra em um atalho. Se nos conhecêssemos em uma festa, por exemplo, e eu quisesse lhe contar uma história de quando tive de pegar uma bola de futebol no quintal do vizinho, mas fui perseguido pelo cachorro e tive de pular na piscina para escapar, e eu começasse a contar a história, e você, ao ouvir as palavras "futebol" e "vizinho" na mesma frase, interrompesse para contar que seu vizinho de infância foi o Pelé, eu poderia ser educado e perguntar:

— Ele não jogou pelo Cosmos de Nova York? Você foi criado em Nova York?

Então você poderia responder que não, poderia contar que foi criado no Brasil, nas ruas de Três Corações, com o Pelé, e eu poderia dizer que achava que você era do Tennessee, e você poderia dizer que não, e daí começaria a falar da sua família. Assim, minha conversa inicial — a história engraçada sobre a perseguição do cachorro do meu vizinho — estaria completamente perdida, e tudo porque você tinha de me falar a respeito do Pelé. Aprenda a *ouvir*! Eu imploro. Finja que é um cachorro como eu e ouça as outras pessoas em vez de interromper suas histórias.

— Naquela noite, eu escutei, e ouvi.

— Por quanto tempo eles pretendem mantê-la internada? — Mike perguntou.

— Talvez nem façam uma biópsia. Talvez apenas operem e retirem. Seja ou não maligno, ainda está causando problemas. As dores de cabeça, as náuseas, as alterações de humor.

— É mesmo? Alterações de humor? Talvez a *minha* mulher também tenha algum tumor.

Era uma piada, perfeitamente descartável, mas Denny não estava de bom humor naquela noite. Ele respondeu secamente:

— Não é um *tumor*, Mike. É um nódulo. Não é um tumor até que façam exames.

— Desculpe. Eu estava... desculpe. — Ele me pegou pela nuca e me sacudiu. — É muito difícil — ele disse. — Eu já teria entrado em pânico se fosse você. Denny ficou em pé e cresceu. Ele em si. Ele não era um cara alto. Era um tipo de Fórmula 1. Bem proporcionado e forte, mas não muito grande. Um peso leve.

— Eu *estou* em pânico — ele disse.

Mike concordou pensativamente.

— Não parece. Acho que é por isso que você é um piloto tão bom — Mike falou, e olhou para mim. Era exatamente isso o que eu estava pensando.

—Você não se importa de passar lá em casa e pegar as coisas dele?

Denny pegou o chaveiro e procurou no meio do molho de chaves.

—A comida está na despensa. Dê a ele uma xícara e meia. Ele come três daqueles biscoitos de frango antes de ir para a cama. Leve a cama dele; está no quarto. E leve também o cachorrinho dele. É só perguntar: "Onde está seu cachorro?". E ele o acha; às vezes ele o esconde.

Ele encontrou a chave da casa e a entregou a Mike, deixando as outras penduradas.

— É a mesma para as duas fechaduras — ele explicou.

— Ficaremos bem. Você quer que eu lhe traga alguma roupa?

— Não — Denny respondeu. —Vou até lá de manhã e pego uma mala se tivermos de ficar.

— Quer que eu traga a chave de volta?

—Tenho a de Eve.

Sem mais palavras, apenas os grilos, o vento, o tráfego, os ventiladores no teto, uma sirene a distância.

—Você não precisa guardar tudo — Mike falou. — Pode desabafar. Estamos em um estacionamento.

Denny olhou para os sapatos, as mesmas botas velhas que ele gostava de usar em suas caminhadas; ele queria um novo par, eu sabia porque ele havia me contado, mas não queria gastar dinheiro, disse, e acho que tinha a esperança de que alguém lhe desse um novo par de botas no aniversário ou no Natal. Mas ninguém lhe dava. Ele tinha uns cem pares de luvas para pilotar, mas ninguém jamais pensara em lhe dar um par de sapatos para fazer caminhadas. Eu *ouço*.

Ele ergueu os olhos na direção de Mike.

— É por isso que ela não queria ir para um hospital.

— O quê?

— Era disso que ela tinha medo.

Mike concordou com a cabeça, mas não entendeu o que Denny dizia.

— E a sua corrida na semana que vem?

— Vou telefonar para Jonny amanhã e dizer que estou fora desta temporada — Denny falou. — Preciso ficar *aqui*.

Mike me levou para a nossa casa para pegar minhas coisas. Eu me senti humilhado quando ele perguntou "Onde está o seu cachorro?". Não queria admitir que ainda dormia com um bichinho de pelúcia. No entanto, eu dormia. Adorava aquele cachorro, e Denny estava certo, eu o escondia durante o dia porque não queria que Zoë o colocasse em sua coleção e também porque quando as pessoas o viam gostavam de brincar de cabo-de-guerra e eu não gostava que puxassem o meu cachorro. E também porque eu tinha medo do vírus que havia se apossado da zebra.

Tirei meu cachorro do esconderijo embaixo do sofá e voltamos para o Alfa Romeo de Mike e fomos para a casa dele. Sua esposa, que não era realmente uma esposa, mas um homem parecido com mulher, perguntou como tinham sido as coisas e Mike passou por ele e se serviu de uma bebida.

— O sujeito está segurando tudo — Mike falou. — Ele deve ter um aneurisma ou algo parecido.

A esposa de Mike pegou meu cachorro, que eu havia deixado no chão.

— Nós também temos de cuidar deste aqui?

— Escute — Mike suspirou —, todo mundo precisa de um apoio. Qual é o problema?

— Cheira mal — disse a esposa de Mike. — Vou lavá-lo.

E o colocou na máquina de lavar! O meu cachorro! Ele pegou o primeiro brinquedo que Denny me deu e o colocou na máquina de lavar... com sabão! Eu não podia acreditar. Estava chocado. Ninguém jamais havia tratado o meu cachorro daquela maneira!

Fiquei olhando através do visor da máquina de lavar enquanto ele dava voltas e voltas, afogado no sabão; fiquei olhando. E eles riram de mim. Não com maldade. Eles achavam que eu era um cachorro bobo — todo mundo acha. Eles riam e eu olhava e, quando ele saiu, eles o colocaram na secadora com uma toalha. Eu esperei. E, quando ficou seco, eles o tiraram e me deram. Tony, a esposa de Mike, o tirou. Ele estava quente. Tony me entregou e disse:

— Muito melhor, hein?

Eu queria sentir ódio dele. Queria sentir ódio do mundo. Queria sentir ódio do meu próprio cachorro, um bicho de pelúcia idiota que Denny havia me dado quando eu era apenas um filhotinho. Estava tão zangado com o modo como nossa família havia se separado de repente, Zoë presa com os Gêmeos, Eve doente no hospital, e eu abrigado como uma criança adotada. E agora o meu cachorro, lavado e sem cheiro. Eu queria me afastar de todo mundo e viver por minha própria conta com meus ancestrais nas altas planícies desérticas da Mongólia, e proteger os carneiros e ovelhas dos lobos.

Quando Tony me entregou meu cachorro, eu o peguei com a boca por uma questão de respeito. Levei-o para minha cama porque era isso o que Denny gostaria que eu fizesse. E me enrosquei nele.

A ironia? Eu gostei.

Gostei do meu cachorrinho limpo em vez de fedido, algo que jamais teria imaginado, mas que me deu algo com que me confortar. Acreditar que o centro de nossa família não poderia ser rompido por um acontecimento do destino, uma lavagem acidental, uma doença inesperada. Havia um vínculo profundamente enraizado em nosso núcleo familiar; Denny, Zoë, Eve e eu, e até o meu cachorro de pelúcia. Por mais que as coisas ao nosso redor pudessem mudar, estaríamos sempre juntos.

20

Como cão, não compartilhei muita coisa. Não permitiram que eu ficasse no hospital para ouvir as conversas cochichadas, o diagnóstico, o prognóstico, a análise; não vi o médico de avental azul sussurrando suas preocupações, revelando os indícios que todos deveriam ter visto, desatando os mistérios do cérebro. Ninguém confiava em mim. Nunca me consultavam. Nada esperavam de mim exceto que fizesse minhas coisas do lado de fora quando era chamado, e que parasse de latir quando me mandavam parar de latir.

Eve ficou no hospital durante muito tempo. Semanas. Como Denny precisava fazer muita coisa, cuidando de mim e de Zoë, e também visitando Eve no hospital sempre que possível, ele decidiu que o melhor era estabelecer uma rotina funcional, em vez do nosso modo espontâneo de viver. Antes, ele e Eve de vez em quando levavam Zoë para jantar em um restaurante; sem Eve sempre comíamos em casa. Antes, Denny às vezes levava Zoë para tomar café em uma cafeteria; sem Eve o café da manhã era todo dia em casa. Os dias consistiam em uma série de eventos programados: Zoë comia seu cereal enquanto Denny preparava um lanche para a escola, que continha sanduíche de banana com pasta de amendoim num pão de farinha integral, batatinha, biscoitos e uma garrafinha de água. Denny então levava Zoë para o curso de férias na escola e ia para o trabalho. No fim do dia de trabalho, Denny pegava Zoë na colônia e voltava para casa para fazer o jantar enquanto Zoë assistia a desenhos na televisão. Depois do jantar, Denny me dava comida e levava Zoë para visitar Eve. Mais tarde eles voltavam, Denny dava um banho em Zoë, lia uma história para ela, e a colocava na cama. Denny então fazia as tarefas que tinha para fazer, como pagar contas ou discutir com a empresa de assistência médica a respeito de coberturas e prazos para pagamento etc. Boa parte do fim de semana era passada no hospital. Não era uma maneira muito divertida de viver. Mas era eficiente. E, considerando a gravidade da doença de Eve, eficiência era o melhor que poderíamos esperar. Minhas saídas eram irregulares, minhas idas ao parque dos cachorros tinham acabado. Eu recebia pouca atenção, tanto de Denny quanto de Zoë. Mas estava disposto a fazer aquele sacrifício para o bem-estar de Eve e para preservar a dinâmica da família. Jurei que não reclamaria de jeito nenhum.

Depois de duas semanas seguindo essa rotina, Maxwell e Trish se ofereceram para cuidar de Zoë no fim de semana para que Denny tivesse uma trégua. Disseram que ele estava com ar doentio, que deveria tirar umas férias dos problemas, e Eve concordou.

— Não quero ver você neste fim de semana — ela disse a ele; pelo menos foi isso que ele contou a Zoë e a mim. Denny estava indeciso em relação a essa idéia, eu podia jurar enquanto o via arrumar a mala de Zoë. Estava com receio de deixar Zoë ir. Porém deixou, e então nós ficamos sozinhos. E foi muito estranho.

Fizemos tudo que costumávamos fazer. Fizemos nossa caminhada. Pedimos pizza na hora do almoço. Passamos a tarde assistindo a *Le Mans*, aquele filme fantástico em que Steve McQueen enfrenta a tragédia e a dor numa derradeira prova de coragem e bravura pessoal. Assistimos a uma das fitas de Denny que mostrava, sob o foco do interior do carro, a grande pista de Nürburgring, a *Nordschleife* ou *Northern Loop*, na Alemanha, filmada quando a pista estava no apogeu, época em que Jackie Stewart e Jim Clark percorriam seus 22 quilômetros com 174 curvas. Depois disso, Denny me levou até o Blue Dog Park, que ficava a alguns quarteirões de distância, e ficou atirando uma bolinha de tênis para mim. Porém, mesmo nessa aventura, havia algo errado com a nossa energia: um cachorro envolto em uma nuvem maléfica vinha para cima de mim com os dentes arreganhados sempre que eu me mexia, por isso não pude ir atrás da bolinha e fui obrigado a ficar perto de Denny.

Tudo parecia estar errado. A falta de Eve e Zoë estava errada. Havia alguma coisa faltando em tudo que fazíamos. Depois de jantarmos, sentamos na cozinha, incomodados. Porque não havia nada para fazermos além de ficar incomodados. Porque, apesar de termos realizado todas as atividades, fazendo o que costumávamos fazer, não havia alegria alguma.

Por fim, Denny ficou em pé. Ele me levou para fora e eu urinei, em consideração a ele. Denny me deu os biscoitos da hora de dormir, e então ele me disse:

— Seja bonzinho.

Ele disse:

— Preciso vê-la.

Eu o segui até a porta; também queria vê-la.

— Não — ele me disse. — Você fica aqui. Eles não vão deixar você entrar no hospital.

Eu entendi; fui até a minha cama e deitei.

— Obrigado, Enzo — ele disse. E então saiu.

Voltou algumas horas depois, no escuro, e se acomodou silenciosamente na cama, tremendo até os lençóis esquentarem. Ergui a cabeça e ele me viu.

— Ela vai ficar bem — ele respondeu. — Ela vai ficar bem.

21

Ela me fez usar as asas de abelha que tinha usado no Halloween anterior. Vestiu sua roupa cor-de-rosa de bailarina com a saia de tule, o *colant* e as meias. Fomos, então, para o quintal dos fundos e corremos até seus pés cor-de-rosa ficarem completamente sujos de terra.

Zoë e eu, brincando no quintal em uma tarde ensolarada. Era a terça-feita depois do fim de semana com Maxwell e Trish, e a essa altura ela já não tinha mais aquele cheiro de vinagre azedo que se impregnava nela todas as vezes que ficava um tempo na casa dos Gêmeos. Denny tinha saído cedo do trabalho e pegara Zoë para poderem ir comprar um novo par de tênis e meias. Quando chegaram em casa, Denny limpou a casa enquanto eu e Zoë brincávamos. Nós dançamos e rimos e corremos e fingimos que éramos anjos.

Ela me chamou para ir até o canto do quintal, perto da torneira. Sobre as lascas de madeira, estava uma de suas bonecas Barbie. Zoë se ajoelhou diante da boneca.

— Você vai ficar bem — ela disse para a boneca. — Tudo vai ficar bem.

Ela abriu um pano de prato que havia trazido da cozinha. No pano de prato havia uma tesoura, uma caneta marca-texto e fita adesiva. Zoë arrancou a cabeça da boneca. Pegou a tesoura da cozinha e cortou o cabelo da Barbie bem rente ao plástico. Então fez uma linha no crânio da boneca, enquanto sussurrava:

— Vai dar tudo certo.

Quando terminou, cortou um pedaço da fita adesiva e colocou na cabeça da boneca. Depois pressionou a cabeça e colocou de novo no pescoço, e a deitou. Nós dois ficamos olhando. Um momento de silêncio.

— Agora ela pode ir para o céu — Zoë disse para mim. — E eu vou viver com a vovó e o vovô.

Senti um enorme desalento. Estava claro que o fim de semana de descanso que Maxwell e Trish haviam oferecido a Denny era falso. Eu não tinha provas, mas podia sentir. Para os Gêmeos, havia sido um fim de semana de trabalho, um esforço para estabelecer um cronograma. Eles já estavam plantando as sementes da sua história, fazendo girar a gravação de sua propaganda, profetizando um futuro que esperavam tornar-se realidade.

22

Pouco tempo depois chegou o fim de semana do Dia do Trabalho, e logo após Zoë voltou para a escola. A "escola de verdade", como ela disse. O jardim-de-infância. E ela estava bastante entusiasmada para ir. Separou a roupa na noite anterior ao primeiro dia: calça jeans boca-de-sino e tênis, e uma blusa amarela. Ela tinha mochila, lancheira, estojo, caderno. Cerimoniosamente, Denny e eu a acompanhamos até o ponto de ônibus, que ficava a um quarteirão de casa, na esquina com a Martin Luther King Jr. Way. Ficamos esperando pelo ônibus que a levaria para a escola com outras crianças e pais da vizinhança.

Quando o ônibus surgiu no começo da rua, ficamos todos agitados.

— Me dê um beijo agora — ela pediu a Denny.

— Agora?

— Não quero esperar o ônibus chegar aqui. Não quero que Jessie veja.

Jessie era sua melhor amiga do maternal, que estaria na mesma classe no jardim-de-infância.

Denny concordou e a beijou antes de o ônibus parar.

— Depois da aula, você continua na escola — ele explicou. — Como combinamos ontem durante a orientação. Lembra?

— Papai! — ela se queixou.

— Pego você no final da tarde. Você espera na classe, e eu entro para pegá-la.

— *Papai*!

Ela exibiu uma expressão carrancuda, e por um segundo eu podia jurar que era a própria Eve. Os olhos faiscantes. As narinas dilatadas. O balanço do corpo e as mãos na cintura, a cabeça de lado, pronta para a batalha. Ela se virou rapidamente e entrou no ônibus, e, enquanto caminhava pelo corredor, se virou e acenou para nós antes de sentar ao lado da amiga.

O ônibus saiu a caminho da escola.

— É a sua primeira vez? — outro pai perguntou a Denny.

— Sim — Denny respondeu. — É minha única filha. E você?

— Minha terceira — respondeu o homem. — Mas não há nada como a primeira. Eles crescem tão depressa!

— Realmente — Denny tornou com um sorriso; nós viramos e fomos para casa.

23

Tudo que eles diziam fazia sentido, mas nada encaixava direito na minha cabeça. Era um daqueles finais de tarde em que Denny tinha me levado até o hospital para ver Eve, embora eu não tenha entrado. Depois da visita, Zoë e eu esperamos no carro enquanto Maxwell e Trish se juntaram a Denny para uma conferência na calçada. Zoë se distraiu com um livro de enigmas, algo que ela adorava fazer; eu fiquei escutando atentamente a conversa. Maxwell e Trish falaram o tempo todo.

— É claro que será necessário ter uma enfermeira do lado em tempo integral.

— Elas trabalham em turnos...

— Elas trabalham em turnos, mas ainda assim a que estiver trabalhando faz pausas.

— Por isso alguém precisa estar lá para ajudar.

— E já que estamos sempre por perto.

— Não temos para onde ir...

— E você precisa trabalhar.

— Por isso é o melhor.

— Sim, é o melhor.

Denny fez que sim com a cabeça, sem muita convicção. Entrou no carro, e nós fomos embora.

— Quando é que a mamãe volta pra casa? — Zoë perguntou.

— Logo — Denny respondeu.

Atravessávamos a ponte suspensa, aquela que Zoë chamava de Ponte Grandona quando era criança.

— A mamãe vai ficar um tempo com o vovô e a vovó — Denny falou. — Até se sentir melhor. Tudo bem pra você?

— Acho que sim. Por quê?

— Será mais fácil para... — Ele parou. — Será mais fácil.

Alguns dias depois, em um sábado, Zoë, Denny e eu fomos até a casa de Maxwell e Trish. Haviam montado uma cama na sala. Uma grande cama hospitalar que subia e descia e fazia todos os tipos de coisas com o uso de um controle remoto, e que tinha uma mesinha na ponta com uma prancheta, e que tinha vindo junto com uma enfermeira, uma mulher mais velha e enrugada que tinha uma voz estranha, como se estivesse cantando todas as vezes que falava, e que não gostava de cachorros, embora eu não tivesse nenhum tipo de objeção a ela. A mulher mostrou-se incomodada com a minha presença imediatamente. Fiquei horrorizado porque Maxwell concordou com ela e Denny ficou preocupado, e por isso fui colocado lá fora, no quintal dos fundos; felizmente, Zoë veio em meu socorro.

— A mamãe está vindo — Zoë me contou.

Ela estava muito entusiasmada. Usava o vestido de algodão indiano de que gostava muito porque era tão bonito, e seu entusiasmo era contagiante, por isso me juntei a ela e aderi às festividades, uma verdadeira recepção de boas-vindas. Zoë e eu ficamos brincando; ela jogava a bola para mim e eu fazia brincadeiras com ela, e rolamos juntos na grama. Foi um dia maravilhoso, a família toda reunida novamente. Parecia algo muito especial.

— Ela está aqui! — Denny chamou pela porta dos fundos, e Zoë e eu corremos para ver; desta vez, deixaram que eu entrasse. A mãe de Eve entrou primeiro, seguida por um homem de calça azul e camisa amarela, que entrou empurrando uma cadeira de rodas com um ser branco de olhos sem vida, que parecia um manequim de chinelos. Maxwell e Denny ergueram o ser e o colocaram na cama, e a enfermeira ajeitou os lençóis e Zoë disse:

— Oi, mamãe.

Tudo isso aconteceu antes mesmo que eu tivesse percebido que aquele ser estranho não era um boneco que eles estavam usando para praticar, mas a própria Eve.

Sua cabeça estava coberta com um gorro. O rosto estava encovado; a pele, pálida. Ela ergueu a cabeça e olhou ao redor.

— Estou me sentindo como se fosse uma árvore de Natal — falou. — No meio da sala, com todo mundo em volta, esperando algo. Não tenho nenhum presente.

Sorrisos desconfortáveis dos que estavam olhando.

E então ela olhou diretamente para mim.

— Enzo — ela chamou. — Venha até aqui.

Balancei o rabo e me aproximei cautelosamente. Não a via desde que ela tinha ido para o hospital, e não estava preparado para o que vi. Parecia que o hospital a deixara muito mais doente do que ela estava.

— Ele não sabe o que pensar — Denny disse por mim.

— Está tudo bem, Enzo — ela falou.

Ela balançou a mão solta no lado da cama, e eu me aproximei com o nariz. Não estava gostando daquilo, toda aquela mobília nova, Eve parecendo fraca e triste, as pessoas em pé ao redor, como se fosse um Natal sem presentes. Nada daquilo parecia estar certo. Por isso, apesar de estarem todos olhando para mim, fui até Zoë e fiquei atrás dela, olhando, através da janela, para o jardim, banhado pela luz do sol.

— Acho que o ofendi ao ficar doente — ela disse.

Não era nada daquilo. Meus sentimentos eram tão complicados; até hoje tenho dificuldade para mostrá-los com clareza, depois de ter vivido todas essas coisas e de ter tido tempo para refletir. Tudo que pude fazer foi caminhar até a cama e deitar ao seu lado como se fosse um tapete.

— Também não gosto de me ver assim — ela falou.

A tarde pareceu interminável. Finalmente chegou a hora do jantar, e Maxwell, Trish e Denny se serviram de bebidas, e os ânimos melhoraram sensivelmente. Uma velha foto de Eve quando criança surgiu do nada e todos riram enquanto o cheiro de alho e óleo vinha em ondas da cozinha, onde Trish estava preparando a comida. Eve tirou o gorro e ficamos fascinados com sua cabeça raspada e as estranhas cicatrizes. Ela tomou banho com a ajuda da enfermeira, e, quando voltou do banheiro usando um dos próprios vestidos em vez da camisola do hospital, parecia quase normal, embora houvesse uma nebulosidade em seus olhos, um olhar de resignação. Ela tentou ler para Zoë, mas disse que não estava conseguindo enxergar direito, por isso Zoë se esforçou para ler para Eve, e seus esforços se mostraram razoavelmente bons. Fiquei vagando pela cozinha, onde Denny conversava de novo com Maxwell e Trish.

— Realmente achamos que Zoë deveria ficar conosco — Maxwell disse — até...

— Até... — Trish repetiu, em pé diante do fogão, de costas para nós.

Existem tantas coisas que são ditas sem uma palavra. Existem tantas coisas que são ditas com olhares e gestos e sons. As pessoas ignoram a enorme complexidade dos próprios meios de comunicação. A repetição mecânica da palavra "até" mostrava exatamente o que Trish estava pensando.

— Até o quê? — Denny perguntou. Pude ouvir irritação em sua voz. — Como é que você sabe o que vai acontecer? Você a está condenando antes mesmo de saber.

Trish largou a frigideira no fogão fazendo muito barulho, e então começou a soluçar. Maxwell passou os braços em volta dela e a envolveu com um abraço. Ele olhou para Denny.

— Por favor, Denny. Precisamos encarar a realidade. O médico falou de seis a oito meses. Ele foi muito claro.

Trish se afastou dele e se recompôs, assoando o nariz.

— Meu bebê — ela sussurrou.

— Zoë é apenas uma criança — Maxwell continuou. — É um tempo precioso, o *único* que ela terá para ficar com Eve. Eu não consigo imaginar, eu não posso *acreditar, nem por um segundo*, que você se oponha.

— Você é uma pessoa tão responsável! — Trish acrescentou.

Eu podia ver que Denny estava sem saída. Ele tinha concordado em deixar que Eve ficasse com Maxwell e Trish. E agora eles queriam Zoë também. Se ele fizesse alguma objeção, estaria separando mãe e filha. Se aceitasse a proposta, seria empurrado para escanteio; iria se tornar um estranho para a própria família.

— Entendo o que está dizendo — Denny falou.

— Sabíamos que você entenderia — Trish interrompeu.

— Mas preciso conversar com Zoë para saber o que ela acha disso.

Trish e Maxwell trocaram olhares de desconforto.

— Você não pode estar falando sério quando diz que vai perguntar a uma criança o que ela quer — Maxwell falou, contrariado. — Por Deus, ela tem apenas *cinco anos*! Ela não pode...

— Vou conversar com Zoë para saber o que ela quer — Denny repetiu com firmeza.

Após o jantar, ele levou Zoë para o quintal dos fundos, e eles sentaram nos degraus do terraço.

— A mamãe gostaria que você ficasse aqui com ela e com o vovô e a vovó — ele disse. — O que você acha disso?

Ela devolveu a pergunta.

— O que *você* acha disso?

— Bem, acho que talvez seja o melhor. Mamãe sentiu muito a sua falta, e quer passar mais tempo com você. Seria apenas por algum tempo. Até ela melhorar e voltar para casa.

— Ah. Eu ainda vou ter de pegar o ônibus para ir pra escola?

— Bem — Denny começou, pensativo. — Provavelmente não. Não por um tempo. A vovó e o vovô levarão você de carro para a escola, e irão buscá-la, eu acho. Quando a mamãe se sentir melhor, vocês duas voltam pra casa, e aí você poderá pegar o ônibus de novo.

— Ah.

— Virei visitar vocês todos os dias. E vamos passar os fins de semana juntos, e você pode ficar comigo de vez em quando. Mas a mamãe quer que você fique com ela.

Zoë concordou, melancolicamente.

— A vovó e o vovô também querem que eu fique aqui — ela disse.

Era óbvio que Denny estava contrariado, mas estava escondendo isso de uma forma que as crianças não entendiam, eu pensei. Porém Zoë era muito esperta, como seu pai. Mesmo com cinco anos, ela compreendeu.

— Tudo bem, papai — ela falou. — Sei que você não vai me deixar aqui para sempre.

Ele sorriu para ela e pegou sua mãozinha, segurando-a em sua mão, e a beijou na testa.

— Prometo que jamais farei isso.

Ficou acertado então, talvez sem muita alegria por parte dos dois, que ela ficaria.

Eu estava fascinado com os dois; como deve ser difícil ser uma pessoa. Anular constantemente os próprios desejos. Preocupar-se em fazer a coisa certa, em vez de fazer o que é mais conveniente. Nesse momento, honestamente, tive sérias dúvidas quanto à minha capacidade de interagir em um nível desses. Fiquei imaginando se algum dia conseguiria me transformar no humano que gostaria de ser.

Quando anoiteceu, Denny estava sentado na poltrona ao lado da cama de Eve, batendo a mão na perna nervosamente.

— Isso é loucura — Denny falou. — Também vou ficar. Vou dormir no sofá.

— Não, Denny — Eve falou. — Você vai ficar tão desconfortável...

— Já dormi em muitos sofás na minha vida. Está ótimo.

— Denny, por favor...

Havia algo em seu tom de voz, uma espécie de súplica em seus olhos, então ele parou.

— Por favor, vá para casa — ela pediu.

Ele coçou a nuca e olhou para baixo.

— Zoë está aqui — ele disse. — Seus pais estão aqui. Você me disse que gostaria que Enzo ficasse aqui esta noite. Mas está me mandando embora? O que foi que eu fiz?

Ela suspirou profundamente. Estava muito cansada e parecia estar sem energia para explicar a Denny. Mas tentou.

— Zoë não vai se lembrar — ela explicou. — Não me importo com o que pensam meus pais. E Enzo... bem, Enzo entende. Mas eu não quero que *você* me veja deste jeito.

— Deste jeito, como?

— Olhe pra mim — ela disse. — Minha cabeça está raspada. Meu rosto parece o de uma velha. Meu hálito é como o de alguém que está apodrecendo por dentro. Estou feia...

— Não me importo com sua aparência. Eu vejo você. Eu vejo quem você realmente é.

— *Eu* me importo com minha aparência — ela tornou, tentando exibir seu velho sorriso de Eve. — Quando olho pra você, eu me vejo nos seus olhos. Não gosto de estar feia na sua frente.

Denny se afastou, como se quisesse esconder seus olhos dela, como se quisesse afastar o espelho. Ele olhou pela janela, e viu o quintal todo iluminado, com luzes na beirada do pátio, em cima das árvores, iluminando nossas vidas. Lá fora, além das luzes, estava o desconhecido. Tudo que não dizia respeito a nós.

— Vou arrumar as coisas da Zoë e volto de manhã — ele falou finalmente, sem se virar.

— Obrigada, Denny. Você pode levar o Enzo. Não quero que se sinta abandonado.

— Não. É melhor Enzo ficar. Ele sente sua falta.

Ele deu um beijo de boa-noite em Eve, colocou Zoë na cama, e então me deixou com Eve. Eu não sabia muito bem por que ela me queria por perto, mas entendi o motivo de querer que Denny fosse embora: quando dormisse naquela noite, queria que ele sonhasse com ela como ela havia sido, não como estava agora; ela não queria que sua imagem fosse corrompida por sua presença real. O que ela não entendia era a capacidade de Denny de enxergar além da sua condição física. Ele estava concentrado na volta seguinte. Talvez, se ela houvesse tido a mesma habilidade, as coisas poderiam ter sido diferentes para ela.

A casa ficou mais escura e silenciosa, Zoë na cama, Maxwell e Trish no quarto, com a luz da TV piscando debaixo da porta. Eve estava acomodada em sua cama na sala de estar com a enfermeira sentada em um canto escuro ocupada com a página de um livro de caça-palavras, fazendo um círculo nas palavras que encontrava. Eu me deitei perto da cama de Eve.

Mais tarde, Eve dormiu e a enfermeira me sacudiu com o pé. Ergui a cabeça e ela colocou um dedo sobre os lábios e me disse para ser um cão bonzinho e ir atrás dela, e eu fui. Ela atravessou a cozinha, depois a lavanderia e foi para os fundos da casa, e abriu a porta que dava para a garagem.

— Fique aí — ela disse. — Nós não queremos que você perturbe a senhora Swift durante a noite.

Olhei para ela, confuso. Perturbar Eve? Por que eu faria uma coisa dessas?

Ela viu em minha hesitação um sinal de rebeldia; agarrou meu pescoço e me deu um safanão. Empurrou-me para a garagem escura e fechou a porta. Ouvi seus chinelos se afastando, voltando para a casa.

Eu não estava com medo. Tudo que eu sabia era que a garagem estava muito escura.

Não estava muito frio, e não era tão desagradável, se você não se importasse com um chão de cimento e o cheiro de óleo de motor em um ambiente escuro como o breu. Tenho certeza de que não havia ratos, pois Maxwell mantinha a garagem limpa para seus carros valiosos. Mas eu nunca tinha dormido em uma garagem antes.

Vi o tempo passar lentamente. Literalmente. Fiquei olhando para um relógio elétrico que Maxwell havia deixado sobre a bancada que nunca usava. Era um desses relógios antigos com os números em pequenas etiquetas de plástico que giravam em torno de um eixo, iluminado por uma pequena lâmpada, única fonte de luz do ambiente. A cada minuto, o barulhinho do plástico com o número sendo liberado. Foi assim que passei a noite na minha prisão. Minuto a minuto, vendo o tempo passar. E pensando nos filmes que já tinha assistido.

Meus atores favoritos são, nesta ordem: Steve McQueen e Al Pacino. *Um Momento, uma Vida* é um filme muito subestimado, assim como o desempenho de Al Pacino no papel de Bobby Deerfield. Meu terceiro ator favorito é Paul Newman, por suas excelentes habilidades como piloto em *500 Milhas*, e porque ele é realmente um piloto fantástico e tem sua própria equipe de *Champ Car*, e, finalmente, porque ele compra óleo de palmeira de fontes renováveis na Colômbia, o que desencoraja a destruição de vastas extensões de floresta tropical em Bornéo e Sumatra. George Clooney é meu quarto ator favorito porque é excepcionalmente inteligente e ajuda a salvar crianças nas reprises de *E.R.*, e porque ele se parece um pouco comigo no jeito de olhar. Dustin Hoffman é meu quinto ator favorito, principalmente pelas coisas incríveis que fez pela marca Alfa Romeo em *A Primeira Noite de um Homem*. Entretanto, Steve McQueen é o primeiro da minha lista, e não apenas por causa de *Le Mans* e *Bullitt*, dois dos maiores filmes já feitos sobre carros. Mas também por causa de *Papillon*. Como cachorro, eu sei o que é ficar preso em uma cela sem esperança, passando os dias à espera de que a porta se abra e alguém passe uma cumbuca de comida pela fresta.

Mergulhado há horas em meu pesadelo, vi a porta da garagem se abrir, e vi Eve de camisola, apenas a silhueta marcada pela luz da cozinha.

— Enzo? — ela chamou.

Eu não disse nada, mas saí do escuro, aliviado por vê-la novamente.

— Venha comigo.

Ela me levou de volta para a sala e tirou uma almofada do sofá e a colocou perto de sua cama. Ela me disse para deitar ali, e eu deitei. Então ela subiu na cama e puxou os lençóis até o pescoço.

— Eu preciso de você perto de mim. Não vá embora de novo.

Mas eu não tinha ido embora! Eu tinha sido expulso!

Pude sentir o sono tomando conta dela.

— Preciso de você perto de mim — ela disse de novo. — Estou com tanto medo. Estou com tanto medo.

Está tudo bem, eu disse. *Estou aqui.*

Ela rolou até a beirada da cama e me fitou; seus olhos estavam vidrados.

— Ajude-me a passar a noite — ela pediu. — É tudo que eu preciso. Me proteja. Não deixe acontecer esta noite. Enzo, por favor. Você é o único que pode me ajudar.

Eu vou ajudar, eu disse.

— Você é o único. Não se preocupe com a enfermeira; eu a mandei embora.

Eu olhei para o canto, e a velha enrugada tinha ido embora.

— Não preciso dela. Só você pode me proteger. Por favor. Não deixe que aconteça esta noite.

Não dormi nada durante a madrugada. Fiquei de vigília, esperando que o demônio mostrasse a cara. O demônio estava vindo atrás de Eve, mas teria de passar primeiro por mim, e eu estava preparado. Atento ao menor ruído, a cada estalido, à mais ínfima alteração na densidade do ar, e ficando em pé ou virando de um lado e outro, sem dizer nada, deixei claro para o demônio que ele teria de se ver comigo se quisesse levar Eve.

O demônio ficou longe. Pela manhã, os outros acordaram e se puseram a tomar conta de Eve, por isso eu pude abdicar dos meus deveres de guardião, e dormi.

— Que cão preguiçoso — ouvi Maxwell resmungar ao passar por mim.

E então senti a mão de Eve em meu pescoço, fazendo carinho.

— Obrigada — ela disse. — Obrigada.

24

Durante as primeiras semanas da nova rotina — Denny e eu morando em nossa casa, enquanto Eve e Zoë viviam com os Gêmeos —, Denny visitava-as religiosamente todas as noites depois do trabalho, enquanto eu ficava em casa sozinho. Quando chegou o Halloween, o ritmo de Denny havia diminuído, e, por ocasião do Dia de Ação de Graças, as visitas estavam limitadas a apenas duas vezes por semana. Sempre que chegava da casa dos Gêmeos, ele contava como Eve parecia bem e como estava melhorando, e que em breve ele a traria para casa. Mas eu também a via, nos fins de semana, quando ele me levava para visitá-la, e eu sabia. Ela não estava melhorando, e não voltaria para casa tão cedo.

Todos os fins de semana, Denny e eu visitávamos Eve no sábado, quando ele pegava Zoë, e de novo no domingo, quando a devolvíamos; normalmente fazíamos o almoço de domingo com toda a família. Eu passava algumas noites com Eve na sala, mas ela nunca mais precisou de mim da mesma maneira, como na primeira noite em que estava com tanto medo. O tempo que Zoë passava conosco deveria ser mais alegre, contudo ela também não parecia feliz. E como poderia, vivendo com a mãe que morria aos poucos, e não com o pai, que estava bastante vivo?

A ida de Zoë para a escola logo virou motivo de discussão. Pouco depois de ter passado a ficar com Maxwell e Trish, eles pediram a transferência de Zoë para uma escola em Mercer Island, pois a travessia de ida e volta pela ponte I90 de Seattle duas vezes ao dia era muito cansativa para eles. E Denny resolveu intervir, sabendo o quanto Zoë amava sua escola. Ele decidiu que ela continuaria na escola, pois ele era seu pai e guardião legal, e também porque, como fazia questão de afirmar, Zoë e Eve logo estariam voltando para casa.

Frustrado com a inflexibilidade de Denny, Maxwell se ofereceu para pagar uma escola particular para Zoë em Mercer Island. As discussões eram freqüentes e intensas. Porém, apesar da insistência de Maxwell, Denny mostrou que também tinha um pouco do monstro-de-gila dentro dele — embora eu não soubesse se por parte de mãe ou de pai —, e suas garras não deram trégua. Sua posição acabou prevalecendo, e Maxwell e Trish foram obrigados a passar pela ponte duas vezes por dia para atravessar o lago.

— Se eles realmente estão fazendo isso por Zoë e por Eve — Denny me disse uma noite —, não deveriam ficar tão incomodados por dirigir quinze minutos pelo lago. Não é assim tão longe.

Denny sentia muita falta de Eve, eu sei, mas sentia muita falta também de Zoë. Dava para ver isso quando Zoë vinha passar as noites em casa, e no dia seguinte nós a levávamos até o ponto de ônibus. Normalmente uma segunda ou quinta-feira. Nesses dias, nossa casa parecia cheia de magnetismo logo cedo e nem precisávamos de despertador para acordar; ao contrário, ficávamos esperando ansiosamente no escuro até a hora de acordar Zoë. Não queríamos desperdiçar nem um único minuto que pudéssemos passar com ela. Nessas manhãs, Denny era uma pessoa completamente diferente. A maneira como fazia seu lanche carinhosamente, deixando sempre um bilhetinho, uma piada ou um pensamento para que ela encontrasse na hora do lanche e sorrisse. O modo como preparava seus sanduíches, tomando cuidado com a pasta de amendoim e cortando a banana de forma que cada fatia ficasse exatamente do mesmo tamanho. (Eu acabava comendo a banana que sobrava nessas ocasiões, o que eu apreciava bastante. Adoro banana, quase tanto quanto gosto de panquecas, meu prato favorito.)

Nesses dias, depois que Zoë ia embora no ônibus amarelo, o outro pai das três crianças às vezes se oferecia para pagar um café, e às vezes aceitávamos e andávamos até a Madison, e sentávamos em uma das mesas da calçada de uma simpática padaria. Até o dia em que o outro pai perguntou:

— Sua mulher trabalha?

É claro que ele estava tentando encontrar uma explicação para a ausência de Eve.

— Não — Denny respondeu. — Ela está se recuperando de um câncer no cérebro.

O homem abaixou a cabeça tristemente quando soube da situação.

Depois desse dia, sempre que íamos até o ponto de ônibus, o homem ficava ocupado conversando com as outras pessoas ou checando seu celular. Nunca mais falamos com ele.

25

Em fevereiro, sob o vento negro do inverno, fizemos uma viagem até o norte do estado de Washington, para uma região chamada Methow Valley. Os cidadãos dos Estados Unidos acham importante celebrar o aniversário de seus grandiosos presidentes, por isso todas as escolas interrompem as aulas durante uma semana; Denny, Zoë e eu fomos para um chalé nas montanhas nevadas para comemorar. O chalé pertencia a um parente de Eve que eu nunca conheci. Estava muito frio, frio demais para mim, embora achasse gostoso correr na neve nas tardes mais quentes. Eu preferia ficar deitado perto do aquecedor e deixar os outros fazerem exercícios, como esquiar ou caminhar na neve com sapatos especiais, essas coisas. Eve, que estava fraca demais para viajar, e seus pais não foram. Mas havia muitas outras pessoas, todas parentes umas das outras. Nós só estávamos ali. Ouvi alguém dizer que Eve achava que seria muito importante para Zoë passar algum tempo com aquelas pessoas, já que ela, Eve, alguém disse, iria morrer logo.

Não gostei dessa linha de raciocínio. Primeiro, que Eve iria morrer logo. E, depois, que Zoë precisasse passar algum tempo com pessoas que ela nunca havia visto porque Eve iria morrer logo. Eles podiam ser pessoas perfeitamente agradáveis, com suas calças bufantes e casacos de náilon e suéteres que cheiravam a suor. Não sei. No entanto, fiquei pensando: por que tinham esperado pela doença de Eve para mostrarem sua hospitalidade?

Havia muita gente lá, e eu não tinha idéia de qual era a ligação entre um e outro. Eram todos primos, isso eu entendi, mas havia certos lapsos entre as gerações que me confundiam, e algumas pessoas estavam sem os pais, porém com tios e tias, e alguns talvez fossem apenas amigos. Zoë e Denny passavam a maior parte do tempo separados do resto, porém às vezes participavam de certas atividades em grupo, como cavalgadas e caminhadas na neve, e passeios de trenó. As refeições do grupo eram animadas, e, embora eu estivesse determinado a manter certa distância, um dos primos estava sempre querendo me dar alguma coisa na hora das refeições. E ninguém jamais me chutou para fora quando eu estava embaixo da grande mesa de jantar, onde eu ficava deitado, apesar de estar violando meu próprio código pessoal. Havia uma espécie de deliberado desrespeito às leis que rondava a casa, com as crianças ficando acordadas até tarde e os adultos dormindo a qualquer hora do dia, como cães. Por que eu não deveria partilhar de toda essa libertinagem?

Apesar dos meus conflitos pessoais, toda noite acontecia alguma coisa especial de que eu gostava muito. Fora da casa, que tinha muitos quartos idênticos — cada um deles com muitas camas idênticas para abrigar a multidão —, havia um terraço de pedra com uma grande lareira. Aparentemente, nos meses de verão era usada para fazer a comida ao ar livre, e era usada também nos meses de inverno. Não me importava com as pedras, que eram muito frias e estavam salpicadas por pedrinhas de sal que machucavam quando entravam nas minhas patas, mas adorei a lareira. Fogo! Estalando, quentinho, iluminando as noites após o jantar, e todos se reuniam, enfiados em grandes casacos, e um deles tinha um violão e luvas sem as pontas, e tocava música enquanto todos cantavam. A temperatura muito baixa era de congelar, mas eu tinha o meu lugar perto da lareira. E as estrelas que podíamos ver! Bilhões delas, porque a escuridão da noite era intensa. E os sons que ouvíamos a distância, o barulho de um galho de árvore carregado de neve sendo açoitado pelo vento. Os uivos dos coiotes, meus irmãos, chamando uns aos outros para a caça. E, quando o frio era muito mais forte do que o calor da lareira, todos nos enfiávamos na casa, e cada um ia para seu quarto, com as peles e casacos cheirando a fumaça e seiva de pinho e *marshmallows* derretidos. Foi em uma dessas noites em que estávamos sentados em volta do fogo que reparei que Denny tinha uma admiradora. Ela era jovem, irmã de alguém que Denny aparentemente havia conhecido anos antes em um Dia de Ação de Graças ou Páscoa, porque o primeiro comentário que fez para ela e para os outros foi como ela havia crescido desde que ele a vira pela última vez. Era uma adolescente com um bom par de seios para amamentar e ancas amplas o bastante para ter filhos, e por isso era, para todos os fins práticos, uma adulta, mas que ainda agia como criança, sempre pedindo permissão para fazer as coisas.

Essa menina-moça se chamava Annika, e era muito astuta e sempre sabia como se posicionar e programar seus movimentos para forçar um encontro com Denny. Sentava perto dele em torno do fogo. Sentava na sua frente durante as refeições. Dava um jeito para ficar sempre no banco de trás quando ele ia no banco de trás de alguém. Ria muito alto sempre que ele fazia algum comentário. Adorava o cabelo dele quando tirava o gorro de esqui. Chegou a confessar que admirava demais suas mãos. Adorava Zoë. Ficava toda emocionada quando falavam de Eve. Denny não parecia notar seus avanços; não sei se fazia isso deliberadamente, mas agia como se não percebesse nada.

Quem seria Aquiles sem o seu tendão? Quem seria Sansão sem Dalila? Quem seria Édipo sem os pés tortos? Mudo por causa de minha estrutura, pude estudar a arte da retórica sem ser tolhido pelos limites do ego e do interesse pessoal, e por isso sei as respostas para essas perguntas.

O verdadeiro herói é imperfeito. O verdadeiro teste para um campeão não está na sua capacidade de triunfar, mas na de superar obstáculos — de preferência criados por ele mesmo — a fim de triunfar. Um herói sem defeitos não é interessante para o público ou para o universo, pois, afinal de contas, o conceito de herói se baseia no conflito e na oposição, no encontro da força irresistível com o objeto irremovível. E é por isso que Michael Schumacher, certamente um dos mais talentosos pilotos de Fórmula 1 de todos os tempos, vencedor de mais corridas, ganhador de mais campeonatos, detentor de mais *pole-positions* do que qualquer outro piloto da história da Fórmula 1, sempre fica fora da lista de campeões favoritos dos fãs de corridas. Ele sempre foi diferente de Ayrton Senna, que usava as mesmas táticas tortuosas e ousadas de Schumacher, mas fazia isso com brilho, e por isso diziam que era carismático e emotivo, e não distante e inatingível, o que costumam dizer de Schumacher. Schumacher não tinha defeitos. Tinha o melhor carro, a equipe mais rica, os melhores pneus, mais habilidade. Quem poderia se alegrar com suas vitórias? O sol se levanta todos os dias. O que é amar? Prenda o sol em uma caixa. Obrigue o sol a superar a adversidade para se levantar. *Aí, sim*, iremos celebrar! Sempre admirei um belo nascer do sol, porém jamais considerei o sol um campeão por ter nascido. É isso. Para mim, se contasse a história de Denny, que é um verdadeiro campeão, sem incluir os passos em falso e suas falhas, estaria prestando um desserviço a todos os envolvidos.

Quando se aproximava o fim de semana, houve uma mudança nos boletins meteorológicos transmitidos pelo rádio, e Denny ficou bastante tenso. Estava quase na hora de voltar para Seattle, e ele queria ir, pegar de novo a estrada e dirigir durante cinco horas para atravessar as montanhas e chegar em nossa casa, que ficava do outro lado do estado, e que, apesar do frio e da neve e da umidade, não estava coberta por uma camada de neve nem debaixo de temperaturas congelantes. Ele precisava voltar ao trabalho, ele disse. E Zoë precisava de tempo para se adaptar à rotina da escola. E...

E Annika também precisava voltar. Ela estudava na Holy Names Academy, e precisava voltar para falar com seus colegas de escola a fim de preparar uma espécie de projeto em que estavam trabalhando e que tinha algo a ver com estilo de vida auto-sustentável. Ela passou a falar disso com bastante empenho, mas só depois de perceber que Denny estava planejando ir embora antes dos outros primos. Apenas após compreender que, se as suas necessidades e as necessidades de Denny coincidissem, ela poderia conseguir cinco horas ao lado dele em seu carro, cinco horas para observar suas mãos segurando o volante, cinco horas para ver seu cabelo desgrenhado, para inalar seus feromônios intoxicantes.

Quando chegou a manhã da nossa partida, a tempestade havia acalmado, mas as janelas do chalé estavam sendo castigadas por uma chuva gelada como eu nunca tinha visto igual. Denny passou a manhã preocupado. As rádios estavam anunciando o fechamento de várias passagens nas montanhas por causa da tempestade de neve. E estavam usando equipamentos de tração em outras para retirar a neve.

— Fique! Fique!

Foi o que eles disseram, os primos insípidos. Eu odiava todos eles. Tinham um cheiro rançoso. Mesmo quando tomavam banho, vestiam os mesmo suéteres que tinham usado antes, e o suor voltava para o corpo deles num efeito bumerangue.

Almoçamos rapidamente e saímos, parando em um posto de gasolina no caminho para comprar correntes para os pneus. A estrada para o sul estava horrível. A chuva fria acumulava no pára-brisa e o limpador não conseguia dar conta, e, em intervalos de alguns quilômetros, Denny parava o carro e saía para limpar o brilho gelado. Era uma viagem perigosa e eu não estava gostando nada daquilo. Fiquei no banco de trás com Zoë; Annika foi na frente. Podia ver as mãos de Denny agarrando o volante e segurando-o com muita força. Em um carro de corrida, as mãos precisam estar relaxadas, e as de Denny sempre estão quando vejo os vídeos das corridas; ele sempre flexiona os dedos para lembrar que precisa relaxar sua pegada. Mas, naquela viagem paralela ao curso do rio Colúmbia, Denny estava segurando o volante com uma pegada mortal.

Eu estava me sentindo muito mal por Zoë, que estava bastante assustada. Os movimentos na traseira de um carro são muito mais abruptos que os da dianteira, e por isso sentíamos mais fortemente a sensação de derrapagem provocada pelo piso escorregadio. Pensando em como Zoë devia estar assustada, fui ficando agitado e me deixei levar. Antes que pudesse perceber, estava totalmente em pânico. Empurrei as janelas, tentei saltar para o banco da frente, algo totalmente contraproducente. Denny finalmente gritou:

— Zoë, por favor, segure o Enzo!

Ela me agarrou pelo pescoço e me prendeu com firmeza. Caí em cima dela quando voltou para trás no banco; então ela começou a entoar perto do meu ouvido uma canção antiga: "Olá, pequeno Enzo, que alegria te encontrar...". Ela tinha acabado de entrar para escola quando aprendeu essa música. Ela e Eve costumavam cantar juntas. Sosseguei e deixei que me embalasse. "Olá, pequeno Enzo, que alegria te encontrar..."

Gostaria de poder dizer que tenho tamanho controle sobre o meu destino que planejei toda aquela situação, que enlouqueci para que Zoë pudesse me acalmar durante a viagem, para que esquecesse a própria agitação. Mas a verdade, preciso admitir, é que fiquei feliz quando ela me segurou; eu estava com muito medo, e fiquei bastante agradecido por seu carinho.

O comboio de carros avançava firme, porém lentamente. Muitos carros paravam na beira da estrada para esperar passar a tempestade. Os homens e mulheres do tempo das rádios diziam que ficar esperando seria pior, uma vez que a frente fria estava estacionada e as nuvens estavam baixas, e quando chegasse a massa de ar quente que estavam prevendo o gelo se transformaria em chuva e começaria uma inundação.

Quando chegamos à saída para a Highway 2, ouvimos no rádio que a passagem estava fechada e por isso teríamos de pegar um longo desvio para chegar na I90, perto da cidade de George. Denny achava que assim a viagem seria mais rápida por causa do tamanho da I90, mas foi pior, não melhor. Tinha começado a chover e o canteiro central parecia mais um canal do que uma faixa de grama separando os lados da estrada. Mesmo assim, continuamos nossa jornada porque não havia muito o que fazer.

Depois de sete horas de viagem cansativa e a duas horas de distância de Seattle com boas condições de tempo, Denny disse a Annika para falar com seus pais pelo celular e pedir que encontrassem um lugar para ficarmos perto de Cle Elum. Mas eles retornaram o telefonema para avisar que todos os motéis estavam ocupados por causa da tempestade. Paramos em um McDonald's e Denny comprou comida para todos nós — eu ganhei *nuggets* de frango —, e depois seguimos depressa na direção de Easton.

Perto de Easton, onde havia montes de neve nas laterais da estrada, Denny parou o carro com dezenas de outros carros e caminhões numa área cercada e saiu na chuva gelada. Deitou no chão e colocou as correntes nos pneus, o que levou meia hora, e quando voltou a entrar no carro estava completamente encharcado e tremendo.

— Oh, pobre coitado — disse Annika, que esfregou seus ombros para aquecê-lo.

— Eles vão fechar a passagem daqui a pouco — Denny falou. — Aquele motorista ouviu no rádio.

— Não podemos ficar aqui esperando? — Annika perguntou.

— Eles acham que haverá uma torrente de água. Se não pegarmos a passagem agora, podemos ficar presos durante alguns dias.

Estava chovendo, a neve caindo, o tempo estava frio, gelado, desagradável e horrível, mas nós continuamos, o nosso pequeno e velho BMW foi subindo a montanha até alcançarmos o cume, onde ficam os elevadores dos esquis, e de repente tudo mudou. Não havia mais neve, nem gelo, apenas chuva. E celebramos a chuva!

Denny parou o carro para retirar as correntes, o que levou mais meia hora, e voltou ensopado de novo, e então começamos a descer. Os limpadores do pára-brisa iam de um lado para outro com a maior velocidade possível, no entanto não ajudavam muito. A visibilidade estava horrível. Denny segurou firmemente o volante e atravessou a escuridão, e acabamos chegando em North Bend e depois em Issaquah, e então na ponte pênsil que atravessava o lago Washington. Era quase meia-noite — a viagem de cinco horas havia levado mais de dez — quando Annika telefonou para os pais e avisou que tínhamos conseguido chegar a Seattle. Ficaram aliviados. Eles contaram — e ela nos contou — que os noticiários falaram de uma torrente de água que provocara o deslizamento da encosta perto do cume onde havíamos estado.

— Escapamos por pouco — Denny falou. — Graças a Deus.

Cuidado com os caprichos do destino, eu disse para mim mesmo. *Ele é um demônio.*

— Não, não — Annika respondeu ao telefone. — Vou ficar com Denny. Ele está muito cansado para continuar dirigindo, e Zoë está dormindo no banco de trás; ela precisa ir para a cama. Denny falou que pode me levar pra casa de manhã.

Denny virou o rosto e olhou com ar de interrogação, imaginando se teria dito qualquer coisa nesse sentido. É claro que eu sabia que não. Annika sorriu e piscou. Ela encerrou a conversa e colocou o celular na bolsa.

— Estamos quase chegando — ela falou, olhando para a frente, o peito arfando em razão da expectativa.

Por que ele não fez alguma coisa naquele momento? Por que não pegou a estrada e foi direto para Edmonds, onde vivia a família de

Annika? Por que não disse nada? Jamais saberei. Talvez, de certa maneira, ele precisasse se ligar a alguém que o lembrasse da paixão que havia compartilhado um dia com Eve. Talvez.

Chegando em casa, Denny levou Zoë para o quarto e a colocou na cama. Depois ligou a televisão e vimos as imagens do fechamento da passagem na montanha, somente por alguns dias, disseram as autoridades, mas talvez demorasse uma semana ou mais. Denny foi até o banheiro e trocou as roupas molhadas; quando voltou, vestia uma calça de agasalho e uma camiseta velha. Tirou uma cerveja da geladeira e abriu.

— Posso tomar um banho? — Annika perguntou.

Denny pareceu surpreso. Depois de todos os atos heróicos daquele dia, quase havia esquecido de sua existência.

Ele mostrou onde ficavam as toalhas, como regular a temperatura das torneiras do chuveiro, e então fechou a porta.

Depois pegou um jogo de lençóis, travesseiro e cobertor, abriu o sofá da sala e fez a cama para Annika. Quando terminou, foi para o quarto e sentou na beirada da cama.

— Somos amigos — ele disse para mim, e então caiu de costas; ficou deitado na cama, as mãos sobre o peito, os pés ainda no chão, os joelhos dobrados na borda da cama, e o resto dele adormecido apesar de as luzes do quarto ainda estarem acesas. Deitei no chão perto dele e também peguei no sono.

Abri os olhos e a vi em pé ao lado dele. Estava com o cabelo molhado, usando o roupão de Denny. Ela não disse nada. Ficou olhando enquanto ele dormia, e eu a observei. Era uma atitude estranha. Assustadora. Eu não gostei. Ela abriu o roupão, expondo um pedaço de pele branca e uma tatuagem de um raio de sol em volta do umbigo. Continuou em silêncio. Tirou o roupão e ficou nua, seus peitos grandes com os mamilos marrons apontando para ele. Ele continuava inconsciente. Dormindo.

Ela estendeu os braços e colocou as mãos na cintura da calça de agasalho. Ela abaixou a calça dele até os joelhos.

— Não — ele murmurou, os olhos ainda fechados.

Ele havia dirigido durante mais de dez horas, numa cruzada angustiante através da neve e do gelo e das inundações. Não lhe restavam forças para defender-se de um ataque.

Ela continuou a abaixar as calças, até os tornozelos, depois levantou um pé e o outro para tirá-la completamente. Ela olhou para mim.

— Shhh! — ordenou.

Eu não fiquei quieto. Estava muito bravo. E mesmo assim também não ataquei. Havia algo me segurando. A zebra continuava dançando.

Ela me olhou com desdém e voltou sua atenção para Denny. Por isso tenho de acreditar que o que ela fez com ele foi sem o seu consentimento, sem o seu conhecimento. Ele não teve nada a ver com aquilo. Era um prisioneiro do próprio corpo, que não tinha mais energia, e ela se aproveitou dele.

Mesmo assim, não podia ficar ali e assistir. Eu poderia ter evitado que o demônio destruísse os brinquedos de Zoë, mas não consegui. Não podia falhar novamente. Lati com força, agressivamente. Rosnei, mordi, e de repente Denny acordou; abriu os olhos e viu a garota nua e se afastou dela.

— Que diabos está acontecendo? — ele gritou.

Eu continuei a latir. O demônio ainda estava no quarto.

— Enzo — ele gritou —, já chega!

Parei de latir, mas fiquei de olho nela, para o caso de ela resolver atacar novamente.

— Onde está minha calça? — Denny perguntou nervosamente, sentando-se na cama. — O que é que você estava fazendo?

— Eu o amo tanto.

— Eu sou casado!

— Mas não tem feito sexo.

E ela se atirou na cama, tentando se aproximar dele, por isso lati novamente.

— Mande o cachorro embora — ela pediu.

— Annika, pare com isso!

Denny segurou seus pulsos; ela se contorceu de brincadeira.

— Pare! — ele gritou, pulando para fora da cama, pegando a calça do chão e vestindo-a rapidamente.

— Pensei que você gostasse de mim — Annika falou, mudando o tom de voz abruptamente.

— Annika...

— Eu pensei que você me *quisesse*.

— Annika, vista isto — ele disse, estendendo-lhe o roupão. — Não posso ficar conversando com uma menina de 15 anos despida. É ilegal. Você não deveria estar aqui. Vou levar você pra casa.

Ela pegou o roupão.

— Mas, Denny...

— Annika, por favor, vista o roupão.

Denny apertou o cordão da calça.

— Annika, isto não está acontecendo. Isto não pode estar acontecendo comigo. Não sei por que você pensou...

— Você! — ela soluçou, e começou a chorar. — Você passou a semana flertando comigo. Você me provocou. Você me beijou.

— Foi um beijo no rosto — Denny falou. — Os parentes costumam se beijar no rosto. Isso se chama afeto, e não amor.

— Mas eu amo você! — ela sussurrou, e de repente desatou a chorar, os olhos fechados, a boca contorcida. — Eu amo *você*! — ela repetiu novamente, e outra vez: — Eu *o* amo!

Denny não sabia o que fazer. Queria confortá-la, mas sempre que tentava se aproximar ela soltava os braços e o roupão caía, e os seios enormes, balançando por causa do choro, ficavam expostos e ele tinha de se afastar. Isso aconteceu várias vezes, como um brinquedo engraçado, como se ela fosse um macaquinho com chocalhos ou algo parecido. Ele se aproximava para confortá-la, ela abaixava os braços, os seios ficavam apontando para ele, e ele recuava. É possível que eu estivesse testemunhando uma interpretação ao vivo de uma cena pornográfica antiga, parecida com a que vi em um filme chamado *O Substituto*, que mostrava um urso copulando com uma mulher.

Finalmente, Denny precisou pôr um fim naquilo.

— Vou sair do quarto — ele disse. — Você vai vestir o roupão e ficar decente. Quando estiver pronta, venha até a sala e continuaremos a conversa.

Ele se virou e se afastou. Eu o segui. Então esperamos. Esperamos. E esperamos.

Finalmente ela apareceu vestindo o roupão, os olhos inchados por causa das lágrimas. Não disse uma palavra, e foi direto para o banheiro. Alguns minutos depois, apareceu vestida com suas roupas.

— Vou levá-la pra casa.

— Telefonei para o meu pai — ela disse —, lá do quarto.

Denny gelou. De repente, senti a tensão no ar.

— O que você disse a ele?

Ela o fitou durante algum tempo antes de responder. Se a sua intenção era deixá-lo ansioso, funcionou.

— Pedi que viesse me pegar — ela respondeu. — A cama é muito desconfortável.

— Bom — Denny suspirou. — Bem pensado.

Ela não respondeu, mas continuou a olhar fixamente para ele.

— Se passei uma impressão errada, sinto muito — Denny se desculpou, desviando o olhar. — Você é uma mulher muito atraente, mas eu sou casado e você é muito jovem. Entre nós não pode existir...

Ele deixou as palavras no ar. Palavras não ditas.

— Um caso — ela completou com firmeza.

— Uma situação desse tipo — ele sussurrou.

Ela pegou a bolsa e a mochila e foi para a entrada. Vimos a luz dos faróis quando se aproximaram da casa. Annika abriu a porta e caminhou até a rua. Denny e eu ficamos vendo da porta quando ela atirou sua bagagem na traseira do Mercedes e sentou no banco da frente. Seu pai, vestido de pijama, acenou e foi embora.

26

Naquele ano tivemos um período particularmente frio em cada mês do inverno. E, quando o primeiro dia quente de primavera chegou finalmente em abril, as árvores e as flores e a grama renasceram com tanta intensidade que os noticiários da televisão anunciaram uma epidemia de alergia. As farmácias ficaram sem anti-histamínicos. As companhias farmacêuticas — aquelas que lucram com a miséria dos outros — não poderiam ter pedido um cenário mais lucrativo do que um inverno frio e úmido cheio de injeções contra gripe seguido por uma primavera quente com recordes de alergia a pólen. (Acho que as pessoas não tinham tanta alergia até começarem a se poluir e a poluir o seu mundo com tantas drogas e toxinas. Mas ninguém perguntou qual era a minha opinião.) Por isso, enquanto o resto do mundo estava voltado para as inconveniências da febre do feno, as pessoas do meu mundo tinham outras coisas a fazer: Eve continuava no inexorável processo de morte; Zoë passava muito tempo com seus avós; e Denny e eu procurávamos desacelerar o ritmo dos nossos corações para não sentirmos tanta dor.

Mesmo assim, de vez em quando Denny se permitia um pouco de diversão, e naquele mês de abril surgiu uma oportunidade. Ele recebeu uma oferta de emprego de uma das escolas de pilotagem em que trabalhava: eles tinham sido contratados para fornecer pilotos de corrida para um comercial de televisão e perguntaram a Denny se ele queria ser um dos pilotos. A pista ficava na Califórnia, um lugar chamado Thunderhill Raceway Park. Eu sabia que isso estava acontecendo em abril porque Denny falou bastante a respeito do assunto; ele estava muito entusiasmado. Mas eu não tinha idéia de que ele pretendia ir dirigindo até lá, uma viagem de dez horas. E tinha menos conhecimento ainda sobre o fato de que pretendia me levar com ele.

Puxa, quanta alegria! Denny e eu em nossa BMW, dirigindo o dia inteiro e o começo da noite como uma dupla de fugitivos, como parceiros de crime. Tinha de ser um crime levar a vida que levávamos, uma vida em que podíamos fugir dos problemas pilotando carros de corrida.

A viagem em si não era muito especial: o interior do Oregon não é conhecido pelas belas paisagens, embora outras partes do estado sejam. E as montanhas do norte da Califórnia ainda estavam com um pouco de neve, o que me fazia lembrar de Annika e de como ela tentara se aproveitar de Denny. Felizmente, a neve estava apenas na beira da estrada, e o asfalto estava limpo e molhado. E então caímos do céu direto nos campos verdejantes ao norte de Sacramento. Estonteante. Absolutamente estonteante, a vastidão de um mundo tão intenso com plantações e pássaros, na estação da vida entre o inverno adormecido e o calor abrasador do verão. Colinas amplas, ondulantes, cobertas por grama fresca e grandes feixes de flores do campo. Os homens trabalhando a terra com seus tratores, revolvendo o solo, liberando uma intoxicante mistura de odores: umidade e decomposição, fertilizantes e fumaça de óleo de motor. Em Seattle, vivemos entre as árvores e os canais, e temos a sensação de que estamos sendo embalados gentilmente pelo berço da vida. Nossos invernos não são frios e nossos verões não são quentes, e nos congratulamos por termos escolhido um lugar tão espetacular para descansar a cabeça e criar galinhas. Mas em Thunderhill Raceway Park, a primavera é *primavera*! São tão evidentes as marcas da estação!

E a pista. Relativamente nova, muito bem cuidada, desafiadora com curvas sinuosas e mudanças na elevação, e com tanta coisa para olhar. Na primeira manhã depois da nossa chegada, Denny me levou para uma caminhada. Caminhamos pela pista inteira. Ele fez isso para se familiarizar com a superfície. Não dá para ver a pista de dentro do carro correndo a quase 300 quilômetros por hora. É preciso sair e *senti-la*.

Denny me contou o que procurava. Saliências no piso que pudessem comprometer a suspensão. Fissuras que ele pudesse usar como marcadores de zonas de freio ou pontos de redução da velocidade. Ele tocou o piso no eixo das curvas e sentiu as condições do asfalto — estariam as pedras pequenas bem gastas? Será que poderia encontrar um ponto de aderência ainda melhor fora do traçado convencional? E havia certos truques na inclinação de algumas curvas, lugares onde a pista parecia nivelada de dentro do carro, mas que na verdade tinha desníveis mínimos, normalmente projetados para permitir que a água da chuva corresse para fora da pista e não acumulasse perigosamente.

Depois de termos andado por toda a pista e estudado os 4.800 metros e as quinze curvas, voltamos para o padoque. Dois grandes caminhões-cegonha já tinham chegado. Vários homens com uniformes de equipes de corrida erguiam barracas e coberturas e organizavam um elaborado serviço de alimentação enquanto outros homens descarregavam os seis lindos e idênticos automóveis Aston Martin DB5, que ficaram famosos por causa de James Bond. Denny se apresentou a um homem que carregava uma prancheta e andava com jeito de quem estava no comando. Seu nome era Ken.

— Obrigado pela dedicação — disse Ken —, mas você chegou cedo.

— Queria caminhar pela pista — Denny explicou.

— Fique à vontade.

— Já estou, obrigado.

Ken acenou com a cabeça e olhou para o relógio.

— É muito cedo para motores de corrida — ele disse —, mas você pode andar com seu carro se quiser. Só precisa mantê-lo sob controle.

— Obrigado — Denny falou, e olhou para mim e piscou.

Fomos até um dos caminhões da equipe e Denny segurou no braço de um dos mecânicos.

— Meu nome é Denny. Um dos pilotos.

O homem o cumprimentou e se apresentou como Pat.

— Você tem tempo — ele comentou. — Pode tomar um café ali.

— Vou dar umas voltas com meu BMW. Já falei com Ken. Gostaria de saber se você tem uma corda para me emprestar.

— O que você pretende fazer com a corda? — Pat perguntou.

Denny olhou para mim e Pat deu uma risada.

— Ei, Jim — ele gritou para outro homem. — Este cara quer uma corda emprestada para levar o cão para um passeio.

Os dois riram, e eu fiquei um pouco confuso.

— Tenho uma coisa melhor — tornou o tal do Jim. Ele foi à cabine do caminhão e voltou um minuto depois com um lençol.

— Aqui está — ele falou. — Se ele fizer alguma sujeira, dá para lavar no banheiro do hotel.

Denny mandou que eu entrasse no banco do passageiro e ficasse sentado, e eu fiz isso. Eles me embrulharam com o lençol e me amarraram no banco, deixando apenas a minha cabeça para fora. Eles conseguiram prender o lençol bem firme por trás.

— Está muito apertado? — Denny perguntou.

Eu estava excitado demais para responder. Ele ia me levar dentro do carro!

— Vá devagar com ele até ter certeza de que ele tem estômago pra isso — Pat aconselhou. — Não há nada pior do que ter de limpar o vômito de um cachorro.

— Você já fez isso antes? — indagou Jim.

— Ah, sim — Denny falou. — Meu cachorro adora.

Denny deu a volta até o lado do motorista. Pegou o capacete no banco de trás e o colocou na cabeça. Entrou no carro e prendeu o cinto de segurança.

— Um latido significa mais devagar, dois significa mais depressa, entendeu?

Eu lati duas vezes, e isso o surpreendeu, e também Pat e Jim, que estavam olhando pela janela do passageiro.

— Ele já quer andar mais depressa — Jim comentou. — Você tem um cachorro muito bom.

O padoque de Thunderhill Raceway Park fica entre duas longas retas paralelas; o resto da pista se abre a partir da área do padoque como asas de borboleta. Cruzamos a área dos boxes lentamente e chegamos à entrada da pista.

— Vamos com calma — Denny falou, e lá fomos nós.

Estar numa pista era uma experiência nova para mim. Nenhum prédio, nenhuma placa, nenhum senso de proporção. Era como correr por um campo, sobrevoar uma planície. Denny fazia as voltas suavemente, mas percebi que estava dirigindo com mais agressividade do que nas ruas. Estava acelerando muito mais e a freadas eram bem mais violentas.

— Estou encontrando os sinais — ele me explicou. — Pontos de desaceleração, de frenagem. Alguns caras pilotam mais pela intuição. Encontram um ritmo e confiam. Mas eu sou muito visual. Fico mais à vontade quando tenho referências. Já tenho dezenas de pontos de referência nesta pista apesar de nunca ter pilotado aqui, sete ou oito coisas específicas que observei em cada curva durante o nosso passeio.

E lá fomos nós pelas curvas. Ele pegou os eixos e saídas de curva mais confortáveis para mim. Na reta ganhávamos velocidade. Não estávamos indo muito rápido, talvez a cem, mas eu realmente sentia a velocidade nas curvas quando os pneus faziam um som com eco, fantasmagórico, quase como um uivo. Eu me senti especial com Denny na pista. Ele nunca me levara para uma pista antes. Senti-me seguro e relaxado; o fato de estar bem preso ao banco era reconfortante. As janelas estavam abertas, e o vento estava fresco e frio. Eu poderia ficar andando daquele jeito o dia inteiro.

Depois de três voltas, ele olhou para mim.

— Os freios estão quentes — ele constatou. — Os pneus também aqueceram.

Não entendi aonde ele queria chegar.

— Quer experimentar uma volta bem rápida?

Uma volta rápida? Eu lati duas vezes. Depois lati duas vezes de novo. Denny riu.

— Avise se não estiver gostando — ele falou. — Um uivo longo. — Então ele pisou fundo no acelerador.

Não existe nada igual. A sensação da velocidade. Nada no mundo se compara.

Foi a aceleração súbita, e não o lençol de Jim, o que me manteve grudado no banco enquanto ganhávamos velocidade e disparávamos pela primeira reta.

— Segure-se agora; vamos pegar esta com velocidade.

E fomos com velocidade, depressa, ainda mais depressa; vi a curva se aproximar, gritar para nós até termos praticamente passado por ela e então ele tirou o pé do acelerador e pisou fundo no freio. O nariz do carro mergulhou e então eu agradeci pelo lençol porque se não fosse por ele eu teria sido jogado contra o pára-brisa. Devagar, devagar, devagar, os freios seguraram os rotores com a maior firmeza possível, queimando a fricção, o calor saindo dos calibradores, a energia se dissipando. Então ele virou o volante para a esquerda e com tanta suavidade, mas com muita firmeza, voltando a pisar no acelerador, e fizemos a curva, as forças g nos empurrando para o lado de fora do carro, mas os pneus nos segurando no lugar, e os pneus não estavam mais assobiando, não. A coruja estava morta. Os pneus estavam cantando, gritando, uivando, chorando de dor, *ãhnnnnnn*! Ele aliviou a pressão sobre o volante no ângulo da curva e o carro foi levado para a saída, e ele pisou de novo e nós voamos — *voamos!* — na saída daquela curva, indo na direção da próxima e da próxima, e da próxima e da próxima. Quinze curvas em Thunderhill. Quinze. E amo todas da mesma maneira. Adoro todas elas. Cada uma é diferente, cada uma tem sua sensação particular, mas são todas magníficas! Andamos pela pista, cada vez mais rápidos, uma volta atrás da outra.

— Você está bem? — ele perguntou, olhando para mim enquanto corríamos a mais de 150 quilômetros por hora na reta oposta.

Lati duas vezes.

— Vou acabar com os pneus se você continuar me segurando aqui — ele disse. — Só mais uma volta.

Sim, mais uma volta. Uma volta. Para sempre, mais uma volta. Eu vivo a minha vida por mais uma volta. Eu *dou* a minha vida por mais uma volta. Por favor, Deus, por favor, me dê *mais uma volta*!

E aquela volta foi espetacular. Ergui os olhos como Denny havia me ensinado. "Olhos grandes, grandes distâncias", ele havia dito. Aqueles pontos de referência, as marcas visuais que ele havia identificado quando caminhamos pela pista, passavam tão depressa que levei algum tempo para perceber que ele não os via. Ele os *vivia*! Ele tinha gravado o mapa da pista em seu cérebro e era como um sistema de navegação GPS; quando ele reduzia para fazer uma curva, sua cabeça se erguia à procura da *próxima curva*, e não do eixo da curva que estávamos fazendo. A curva em que estávamos era simplesmente um estado da existência para Denny. Era onde estávamos, e ele estava feliz por estar ali, e eu podia sentir a alegria que ele emanava, o amor pela vida. Mas sua atenção — e sua *intenção* — estava mais à frente, na próxima curva e na curva depois daquela. A cada respiração ele ajustava, avaliava, corrigia e fazia tudo inconscientemente; então vi como ele fazia para planejar a passagem por outro piloto dali a três ou quatro voltas em uma corrida. Seu pensamento, suas estratégias, sua mente; Denny se revelou para mim naquele dia.

Depois de uma volta menos rápida, paramos no padoque e toda a equipe estava esperando. Eles cercaram o carro e me soltaram, e eu pulei para o asfalto.

— Você gostou? — perguntou um deles, e eu lati. Sim! Eu lati e dei um pulo alto no ar.

— Você mandou ver na pista — Pat disse para Denny. — Temos um piloto de verdade por aqui.

— Bem, Enzo ficava latindo duas vezes — Denny explicou dando risada. — Duas vezes significava mais depressa.

Eles riram e eu lati duas vezes de novo. Mais depressa! A emoção. A sensação. O movimento. A velocidade. O carro. Os pneus. O som. O vento. A superfície da pista. O eixo. A saída. A mudança de marcha. A zona de frenagem. A corrida. Correr é o máximo!

Não há nada mais a falar sobre essa viagem porque nada poderia ser mais incrível do que essas voltas que Denny me deu. Até aquele momento, eu *achava* que adorava corridas. Imaginava que gostaria de estar em um carro de corrida. Até aquele momento eu não *sabia*. Como alguém pode saber até sentar em um carro em alta velocidade e dar voltas no limite da aderência, freios a um milímetro de travarem, o motor suplicando pelo limite de segurança?

Flutuei pelo resto da viagem. Sonhei em sair de novo em alta velocidade, mas suspeitei — e não me enganei quanto a isso — que meu tempo de pista estava encerrado. Ainda assim, tinha minhas lembranças, minha experiência, que eu poderia reviver em minha mente de novo, e de novo. Dois latidos significam mais depressa. Às vezes, até hoje, em meus sonhos, eu solto dois latidos porque estou sonhando que estou na pista de Thunderhill com Denny, correndo em alta velocidade, e eu dou dois latidos para pedir a ele que vá mais depressa. Mais uma volta, Denny! *Mais depressa*!

27

Seis meses chegaram e seis meses se foram, e Eve continuava viva. Então sete meses. Oito meses. No primeiro dia de maio, fomos convidados para jantar na casa dos Gêmeos, o que era algo incomum por ser uma noite de segunda-feira, e eu nunca saía com Denny para fazer uma visita no meio da semana. Ficamos na sala numa situação estranha, pois a cama de hospital estava vazia e Maxwell e Trish estavam preparando o jantar. Eve não estava.

Andei pelo corredor para investigar, e encontrei Zoë brincando sozinha no quarto. Seu quarto na casa de Maxwell e Trish era muito maior do que seu quarto em casa, e estava cheio daquelas coisas que qualquer menina iria querer: bonecas e brinquedos, e uma colcha pregueada e nuvens pintadas no teto. Estava enfiada na sua casa de bonecas e não percebeu a minha entrada.

Vi uma bola de meia no chão, que deveria ter caído quando colocaram suas roupas nas gavetas, e me atirei sobre ela. Brincando, eu a joguei aos pés de Zoë, rocei com o nariz e fiquei abaixado, apoiado na parte da frente, deixando os quadris no alto e o rabo em pé: sinais universais de linguagem para "Vamos brincar!". Mas ela me ignorou.

Por isso tentei de novo. Peguei a meia, joguei-a para o ar, bati nela com meu nariz, fui buscá-la eu mesmo, e a coloquei de novo aos pés de Zoë. Olhei para baixo. Estava totalmente preparado para brincar de "Enzo-pega". Ela não. Zoë empurrou a meia para o lado com o pé.

Lati, cheio de expectativa, numa última tentativa. Ela se virou e me encarou seriamente.

— Isso é brincadeira de criança — ela respondeu. — Agora preciso ser uma adulta.

Minha pequena Zoë, uma adulta em tão tenra idade. Aquele era um pensamento triste.

Decepcionado, andei lentamente até a porta e olhei para ela por cima do ombro.

— Às vezes coisas ruins acontecem — ela disse para si mesma. — Às vezes as coisas mudam, e nós também precisamos mudar.

Ela estava repetindo as palavras de alguém, e não tenho certeza se acreditava naquilo ou sequer entendia o que dizia. Talvez estivesse tentando guardar na memória porque esperava que aquilo fosse a chave para o seu futuro incerto.

Voltei para a sala e esperei com Denny até que, finalmente, Eve surgiu no corredor que dava para o quarto e o banheiro. A enfermeira que passava o tempo tricotando obsessivamente com suas agulhas de metal, e que me deixava maluco com aquele barulhinho, estava ajudando Eve a caminhar. E Eve estava brilhante. Usava um vestido lindo, longo, azul-marinho. Estava usando o adorável cordão de pérolas de água fresca japonesas que Denny havia lhe dado no quinto aniversário de casamento, e estava maquiada e tinha feito um penteado; o cabelo tinha crescido o bastante para que ela pudesse fazê-lo. Ela estava radiante. Apesar de precisar de ajuda para caminhar, estava andando, e Denny a recebeu com uma ovação entusiástica.

— Este é o primeiro dia em que não estou morta — Eve disse para nós. — Por isso estamos festejando.

Viver cada dia como se tivesse sido roubado da morte, é assim que eu gostaria de viver. Sentir a alegria de viver, como Eve sentia. Afastar as aflições, os temores, as angústias que enfrentamos todos os dias. Dizer "Estou vivo", "Sou maravilhoso", "Eu sou". Eu sou. Isso é algo a que devemos aspirar. Quando for uma pessoa, é assim que vou querer viver a vida.

A reunião foi festiva. Todos estavam felizes, e os que não estavam felizes fingiram que estavam com tanta convicção que todos nos convencemos. Até Zoë ganhou vida com seu humor habitual, aparentemente esquecida de sua necessidade de ser uma adulta. Quando chegou a hora de irmos embora, Denny beijou Eve profundamente.

— Amo tanto você — ele disse. — Gostaria que você pudesse voltar pra casa.

— Eu quero ir pra casa — ela respondeu. — Eu *vou voltar* pra casa.

Ela estava cansada, por isso sentou no sofá e me chamou; eu deixei que acariciasse minhas orelhas. Denny estava ajudando Zoë a se arrumar para ir deitar, enquanto os Gêmeos, pelo menos desta vez, mantinham uma distância respeitosa.

— Sei que Denny está decepcionado — ela disse para mim. — Todos estão decepcionados. Todos esperam que eu faça como Lance Armstrong,* que eu supere a doença. E, se eu pudesse agarrá-la e segurá-la na minha frente, talvez conseguisse. Mas não consigo segurá-la, Enzo. Ela é maior do que eu. Está em toda parte.

Podíamos ouvir Zoë brincando no banho, Denny rindo com ela, como se não tivessem nenhuma preocupação neste mundo.

— Eu não deveria ter permitido que as coisas ficassem deste jeito — ela lamentou. — Deveria ter insistido em ir para casa para podermos ficar juntos. A culpa foi minha, eu poderia ter sido mais forte. Mas Denny diria que não podemos nos preocupar com o que já aconteceu, então... Por favor, tome conta de Denny e de Zoë por mim, Enzo. Eles são tão maravilhosos quando estão juntos.

* Lance Armstrong é um ciclista norte-americano, conhecido por ter vencido o Tour de France sete vezes consecutivas, logo depois de vencer uma terrível batalha contra o câncer. (N. do E.)

Ela sacudiu a cabeça para afastar os pensamentos tristes e me encarou.

— Está vendo? Não estou mais com medo. Antes eu queria que você ficasse comigo porque queria que me protegesse, mas não estou mais com medo. Porque não é o fim.

Ela sorriu o sorriso de sempre, que eu conhecia.

— Mas você sabia disso. Você sabe de tudo.

Não de tudo. Contudo, sabia que ela estava certa a respeito de sua situação: embora os médicos tenham condições de ajudar muita gente, eles só poderiam dizer a ela o que não poderia ser feito. E eu sabia que, depois que identificassem sua doença, depois que todos ao redor aceitassem o diagnóstico, depois que o corroborassem e repetissem para ela de vez em quando, não haveria como detê-lo. O que é visível se torna inevitável. Seu carro vai para onde vão seus olhos.

Fomos embora, Denny e eu. No caminho para casa, não dormi no carro como costumava fazer. Fiquei olhando as luzes de Bellevue e de Medina, tão lindas. Atravessando o lago pela ponte pênsil e vendo o brilho da Madison Park e da Leschi, os edifícios do centro se destacando por trás do Mount Baker Ridge; a cidade angulosa e revigorante, com toda a sujeira e velhice escondidas pela noite.

Se algum dia tiver de enfrentar um pelotão de fuzilamento, vou encarar meus executores sem pestanejar, e vou pensar em Eve. No que ela disse. Não é o fim.

Ela morreu naquela noite. Seu último suspiro levou sua alma, eu vi nos meus sonhos. Vi sua alma deixar seu corpo quando ela suspirou, e então ela não tinha mais nenhuma necessidade, mais nenhum motivo; ela foi libertada de seu corpo, e, sendo libertada, continuou sua jornada em outro lugar, em algum canto do firmamento, onde as almas se reúnem e completam todos os sonhos e alegrias que os seres temporais mal podem conceber, todas as coisas que estão além da nossa compreensão, mas, mesmo assim, não estão além das nossas possibilidades se escolhermos obtê-las, e acreditarmos que realmente podemos.

28

De manhã, Denny nada sabia a respeito de Eve, e eu, tendo acordado em meio à bruma do meu sonho, mal suspeitava. Ele me levou até o Luther Burbank Park, na costa leste da Mercer Island. Como fazia um dia quente de primavera, a escolha do parque foi ótima, pois ali é permitida a entrada na água e assim Denny atirava a bola e eu podia nadar para ir buscá-la. Não havia outros cães no parque; estávamos só nós dois.

— Vamos trazê-la para casa — Denny falou, atirando a bola. — E Zoë. Nós devíamos ter ficado juntos. Sinto falta delas.

Nadei no lago frio e peguei a bola.

— Esta semana — ele disse. — Esta semana vou trazer as duas para casa.

E atirou a bola de novo. Atravessei o fundo pedregoso até meu corpo começar a boiar e então nadei até a bola e voltei depois de pegá-la. Quando soltei a bola aos pés de Denny e ergui os olhos, vi que ele estava ao celular. Depois de um momento, ele acenou com a cabeça e desligou.

— Ela se foi — ele disse, e então começou a soluçar alto e se virou, chorando com a cabeça enfiada debaixo do braço; por isso não pude ver seu rosto.

Não sou o tipo de cão que foge das coisas. Jamais havia corrido de Denny até aquele momento, e desde então jamais voltei a correr. Mas naquele momento eu tinha de correr.

Havia algo me puxando. Não sei. O cenário do parque, aninhado na costa leste da Mercer Island daquele jeito, tão apropriado. Aquele cenário parece pedir aos cachorros que corram, que fujam do seu cativeiro, que se rebelem contra o *establishment*. E por isso corri.

Em direção ao sul, disparei pelo curto caminho e passei pelo buraco na cerca; saí para o campo aberto e disparei para o oeste. Corri pela via de asfalto e fui até o anfiteatro que ficava do outro lado, e então encontrei o que estava procurando: o descampado intocado. Precisava liberar meu lado selvagem. Estava contrariado, triste, zangado. Precisava fazer alguma coisa! Eu precisava me sentir, me compreender, e entender este mundo horrível onde estamos todos presos, onde insetos e tumores e vírus abrem caminho até o nosso cérebro e colocam seus ovos pútridos que saem da casca e nos comem por dentro. Precisava fazer minha parte para acabar com isso, esmagar o que estava me destruindo, o meu modo de vida. Por isso corri.

Os galhos e as folhas açoitavam meu rosto. A terra bruta machucava minhas patas. Entretanto, corri até ver o que precisava ver. Um esquilo. Gordo e complacente. Comendo os restos de um pacote de salgadinho. Jogando as migalhas estupidamente na boca. E descobri no recôndito mais negro da minha alma um ódio que nunca tinha sentido antes. Eu não sabia de onde vinha, mas estava lá, e eu corri atrás do esquilo. Ele ergueu os olhos muito tarde. Percebeu minha presença tarde demais para quem queria viver, e eu o ataquei. Ataquei o esquilo e ele não teve chance. Fui implacável. Enfiei as garras, quebrando suas costas; meus dentes penetraram sua pele e eu o sacudi até a morte, até ouvir o barulho do seu pescoço se partindo em dois. E então o comi. Eu o abri com minhas garras, meus incisivos; eu o abri e fiquei coberto de sangue, muito sangue, quente e rico, bebi sua vida e comi suas entranhas e triturei seus ossos, e os engoli. Esmaguei seu crânio e comi sua cabeça. Devorei o esquilo. Eu *tinha* de fazer isso. Sentia tanta falta de Eve que não poderia mais ser humano e sentir a dor que os humanos sentem. Tinha de ser um animal de novo. Devorei, me fartei, engoli tudo, fiz tudo que não deveria ter feito. Minha tentativa para viver de acordo com os padrões humanos não havia ajudado Eve em nada; eu comi o esquilo por Eve.

Dormi nos arbustos. Algum tempo depois ressurgi, eu mesmo de novo. Denny me encontrou e não disse nada. Ele me levou para o carro. Entrei no banco de trás e peguei no sono novamente, de imediato. Com o gosto de sangue do esquilo que eu havia matado ainda fresco em minha boca, dormi. E, enquanto dormia, sonhei com corvos.

Eu os perseguia; eu os pegava; eu os matava. Fiz isso por Eve.

29

Para Eve, a morte marcou o fim de uma batalha dolorosa. Para Denny, era o começo.

O que fiz no parque foi uma coisa egoísta porque tinha a ver com a satisfação das minhas necessidades mais básicas. Também foi egoísta porque impediu que Denny fosse ao encontro de Zoë imediatamente. Ele estava bravo comigo por tê-lo atrasado no parque. Mas adiar, mesmo que por pouco tempo, o que ele iria encontrar na casa dos Gêmeos talvez tenha sido a coisa mais generosa que eu poderia ter feito por ele. Quando acordei do meu descanso, estávamos na casa de Maxwell e Trish. Na entrada de carro havia uma perua branca sem janelas com uma insígnia com uma flor-de-lis na porta do motorista. Denny estacionou de forma que não atrapalhasse a saída do veículo, e então demos a volta na casa e ele me levou até a mangueira que havia nos fundos. Abriu a torneira e lavou o sangue do meu focinho com gestos rudes e secos; não era um banho, era uma limpeza.

— No que foi que você se meteu? — ele perguntou.

Quando terminou de tirar todo o sangue e a sujeira, ele me soltou e eu me sacudi para me secar. Ele andou e bateu às portas francesas do pátio. Depois de algum tempo, Trish apareceu. Ela abriu a porta e abraçou Denny. Estava chorando.

Depois de um bom tempo, Maxwell e Zoë também apareceram, e Denny soltou o abraço e perguntou:

— Onde está ela?

Trish falou:

— Dissemos a eles que esperassem por você.

Denny entrou na casa, tocando a cabeça de Zoë ao passar. Depois que ele sumiu, Trish olhou para Maxwell.

— Vamos lhe dar um tempo.

Então eles fecharam a porta e ficaram do lado de fora, junto com Zoë, para que Denny pudesse ficar sozinho com Eve pela última vez, apesar de ela não estar mais viva.

No vazio que havia ao meu redor, reparei em uma velha bola de tênis no meio das plantas; peguei a bola e a joguei aos pés de Zoë. Eu não sabia o que estava fazendo, se tinha uma intenção específica. Estaria tentando alegrar os ânimos? Não sei, mas senti que precisava fazer algo. Então a bola rolou e parou perto de seus pés descalços.

Ela abaixou os olhos na direção da bola e continuou quieta.

Maxwell reparou no que eu tinha feito, e notou a falta de reação de Zoë. Ele pegou a bola e, com um arremesso forte, atirou-a tão longe, no meio dos arbustos que ficavam atrás da casa, que eu a perdi de vista e mal consegui ouvir o barulho dela passando pelas folhas ao cair de novo no chão. Foi um arremesso impressionante, com a bola de tênis clarinha atravessando o ar contra o céu azul. Quanta dor interior teria sido colocada naquela bola era impossível dizer.

— Vá pegar, rapaz — Maxwell sugeriu cinicamente, e então ele se virou para a casa.

Não fui pegar, e esperei com eles até Denny voltar. Ao sair, ele foi direto para Zoë e a abraçou com força. Ela apertou seu pescoço.

— Estou tão triste — ele disse.

— Eu também.

Ele sentou em uma das cadeiras da varanda, com Zoë nos joelhos. Ela enfiou a cabeça em seu ombro e ficou assim.

— Agora as pessoas da Bonney-Watson irão levá-la — Trish falou. — Vamos enterrá-la no jazigo da família. Era isso o que ela queria.

— Eu sei — Denny falou, concordando. — Quando?

— Antes do fim da semana.

— Em que posso ajudar?

Trish olhou para Maxwell.

— Vamos cuidar de tudo — falou Maxwell. — Mas queremos falar com você a respeito de uma coisa.

Denny esperou que Maxwell continuasse, porém ele ficou quieto.

— Você não tomou café, Zoë — Trish lembrou. — Venha comigo e eu faço um ovo pra você.

Zoë não se mexeu até Denny lhe dar um tapinha nas costas e tirá-la do seu colo.

— Vá comer algo com a vovó — ele a encorajou.

Zoë seguiu Trish obedientemente para dentro da casa.

Quando ela sumiu, Denny se recostou na cadeira com os olhos fechados e suspirou pesadamente, o rosto erguido para o céu. Ficou assim por um bom tempo. Minutos. Como se fosse uma estátua. Enquanto Denny estava imóvel, Maxwell ficou se remexendo, sem sair do lugar, apoiando-se em uma perna, depois na outra. Várias vezes Maxwell começou a falar, e então parou. Ele parecia relutante.

— Sabia que isso ia acontecer — Denny falou finalmente, os olhos ainda fechados. — Mesmo assim... me pegou de surpresa.

Maxwell concordou com a cabeça.

— É isso o que está nos preocupando — ele disse.

Denny abriu os olhos e encarou Maxwell.

— Preocupando? — Denny perguntou, confuso.

— O fato de você não ter se organizado.

— Organizado?

— Você não tem um plano.

— Plano?

— Você está apenas repetindo a última palavra que eu digo — Maxwell observou depois de uma pausa.

— Porque não entendo o que está dizendo.

— É isso o que está nos preocupando.

Denny, ainda sentado, inclinou-se para a frente e encarou Maxwell com o rosto confuso.

— O que é que está preocupando vocês exatamente, Maxwell?

Então Trish voltou.

— Zoë está comendo seu ovo com torradas e vendo TV na cozinha — ela anunciou. Olhou para Maxwell, cheia de expectativa.

— Mal começamos — Maxwell explicou.

— Ah... Eu pensei... O que você disse até agora?

— Por que você não começa desde o começo, Trish? — Denny sugeriu. — Maxwell está tendo dificuldades para começar. Vocês estão preocupados...

Trish olhou ao redor, aparentemente decepcionada com o fato de suas preocupações não terem sido resolvidas até então.

— Bem — ela iniciou —, a morte de Eve é realmente uma tragédia terrível. Mesmo assim, nós já a esperávamos há meses. Maxwell e eu conversamos muito sobre a nossa vida — sobre a vida de todos nós — depois que Eve se fosse. Conversamos com Eve, também, é bom que você saiba. E acreditamos que o melhor para todos os envolvidos seria que nós ficássemos com a custódia de Zoë para podermos criá-la em um ambiente familiar afetuoso e estável, para darmos a ela o tipo de formação e, bem, os *privilégios* que temos condições de oferecer. Achamos que é o melhor. Esperamos que você entenda que isso de forma alguma é uma crítica a você como pessoa ou à sua capacidade como pai. Estamos apenas pensando no melhor para Zoë.

Denny ficou olhando de um para outro, o rosto perplexo, mas não disse nada.

Eu também estava perplexo. Havia entendido que Denny permitira que Eve ficasse com os Gêmeos para que eles pudessem passar algum tempo com sua filha, que estava à beira da morte, e que havia permitido que Zoë vivesse com os Gêmeos para que pudesse ficar com a mãe, que estava morrendo. Pelo que entendi, depois da morte de Eve, Zoë ficaria conosco. A idéia de um período de transição até fazia algum sentido para mim: Eve tinha morrido na noite anterior; passar o dia seguinte, ou mesmo alguns dias, com os avós fazia sentido. Mas custódia?

— O que você acha? — Trish indagou.

— Vocês só podem estar brincando — Denny falou.

Maxwell enrugou a testa, cruzou os braços e bateu com os dedos no peito, coberto por um casaco de poliéster escuro.

— Sei o quanto é difícil para você — Trish falou. — Mas você precisa concordar que temos a vantagem da experiência, tempo disponível e disponibilidade financeira para garantir a Zoë a melhor educação, além de uma casa grande em uma vizinhança segura que tem muitas famílias jovens e muitas crianças da mesma idade.

Denny pensou um pouco antes de responder.

— Vocês não podem ficar com a custódia de Zoë — ele falou.

— Eu lhe disse — Maxwell falou para Trish.

— Se puder pelo menos pensar no assunto — Trish disse para Denny. — Tenho certeza de que verá que estamos fazendo o certo. É o melhor para todos. Você pode tentar sua carreira automobilística, Zoë poderá crescer em um ambiente amoroso, com toda a estrutura de que necessita. É o que Eve queria.

— Como você sabe disso? — Denny perguntou depressa. — Ela disse isso?

— Ela disse.

— Mas não disse para mim.

— Não sei por que ela não disse a você — Trish falou.

— Pois ela não disse — Denny repetiu com firmeza.

Trish forçou um sorriso.

— Você vai pensar no assunto? — ela perguntou. — Vai pensar no que dissemos? Será muito mais fácil.

— Não, não vou pensar nisso — Denny respondeu, levantando-se da cadeira. — Vocês não podem ficar com a custódia da minha filha. Ponto final.

Os Gêmeos suspiraram ao mesmo tempo. Trish balançou a cabeça, contrariada. Maxwell enfiou a mão no bolso e tirou um envelope.

— Nós não queríamos que fosse assim — ele disse, e entregou o envelope a Denny.

— O que é isto?

— Abra — respondeu Maxwell.

Denny abriu o envelope e tirou várias folhas de papel. Depois olhou para eles.

— O que significa isto?

— Não sei se você tem advogado — Maxwell falou. — Mas, se não tiver, deveria arrumar um. Estamos entrando com uma ação pela custódia da nossa neta.

Denny hesitou, como se tivesse acabado de levar um soco no estômago. Caiu para trás na cadeira da varanda, as mãos agarradas aos documentos.

— Terminei o ovo — Zoë anunciou.

Nenhum de nós havia reparado na sua presença, mas ali estava ela. Zoë subiu no colo de Denny.

— *Você* não está com fome? — ela perguntou a Denny. — A vovó pode fazer um ovo pra você também.

— Não, eu não estou com fome — ele disse, desculpando-se.

Ela ficou pensando algum tempo.

— Você ainda está triste?

— Sim. Ainda estou muito triste.

— Eu também — ela falou, e deitou a cabeça em seu peito.

Denny olhou para os Gêmeos. O longo braço de Maxwell estava pendurado nos ombros estreitos de Trish como se fosse uma espécie de corrente pesada. E então notei uma mudança em Denny. Vi seu rosto endurecer, resoluto.

— Zoë — ele pediu, colocando-a em pé. — Vá lá dentro pegar suas coisas, está bem?

— Para onde nós vamos?

— Vamos voltar para casa.

Zoë sorriu e começou a correr, mas Maxwell se adiantou.

— Zoë, pare aí mesmo — ele disse. — Seu pai precisa ir a alguns lugares. Você fica conosco por enquanto.

— Como ousa? Quem você pensa que é?

— Fui eu quem cuidou dela nos últimos oito meses — Maxwell falou, o queixo contraído.

Os olhos de Zoë foram de seu pai para seu avô. Ela não sabia o que fazer. Ninguém sabia o que fazer. Criara-se um impasse. E então Trish interferiu.

— Vá lá dentro arrumar suas bonecas enquanto conversamos mais um pouco.

Zoë saiu a contragosto.

— Deixe-a ficar conosco, Denny — Trish pediu. — Podemos dar um jeito nisto. Eu *sei* que encontraremos uma saída. Deixe-a ficar conosco enquanto os advogados elaboram algum tipo de acordo. Você não se importou em deixá-la aqui antes.

— Você me implorou para que a deixasse ficar.

— Tenho certeza de que podemos resolver isto.

— Não, Trish — Denny falou. — Vou levá-la pra casa comigo.

— E quem vai tomar conta dela quando você estiver no trabalho? — Maxwell perguntou, tremendo de raiva. — Quando você viajar para participar das corridas e ficar alguns dias fora? Quem vai tomar conta dela se, Deus nos proteja, se ela ficar doente? Ou você pretende simplesmente ignorar, esconder a doença dos médicos até que ela esteja à beira da morte, como fez com Eve?

— Eu não escondi Eve dos médicos.

— Mesmo assim, ela nunca fez uma consulta...

— Ela se recusava! — Denny gritou. — Ela se recusava a procurar um médico!

— Você poderia tê-la obrigado — Maxwell gritou de volta.

— Ninguém conseguia obrigar Eve a fazer algo que não quisesse fazer — Denny respondeu. — *Eu*, pelo menos, não conseguia.

Maxwell apertou os pulsos. As veias do pescoço saltaram.

— E é por isso que ela está morta.

— O quê? — Denny perguntou, incrédulo. — Isso é piada! Não vou continuar esta conversa.

Ele olhou para Maxwell e começou a andar na direção da casa.

— Lamento o dia em que ela o conheceu — Maxwell murmurou às suas costas.

Denny parou na porta e chamou.

— Zoë, vamos embora. Podemos voltar outra hora para pegar suas bonecas.

Zoë apareceu, parecendo confusa, com os braços cheios de bichos de pelúcia.

— Posso levar estes aqui?

— Sim, querida. Mas agora nós vamos. Voltamos depois para pegar o resto.

Denny a apressou para seguir pelo caminho que levava até a frente da casa.

— Você vai se arrepender disto — Maxwell sussurrou para Denny quando ele passou. — Você não tem idéia da confusão em que está se metendo.

— Vamos embora, Enzo — Denny chamou.

Demos a volta pela casa e entramos no carro. Maxwell nos seguiu e viu Denny prender Zoë com o cinto de segurança. Denny ligou o motor.

— Você vai se arrepender disto — Maxwell falou de novo. — Grave minhas palavras.

Denny fechou a porta do lado do motorista com tanta força que o carro balançou.

— Se eu tenho um advogado? — ele perguntou a si mesmo. — Trabalho na oficina especializada em BMW e Mercedes mais prestigiada de Seattle. Com quem ele pensa que está lidando? Tenho um ótimo relacionamento com os melhores advogados desta cidade. E tenho o número do telefone da casa deles.

Deixamos a entrada da casa jogando cascalho nos pés de Maxwell, e, enquanto nos dirigíamos pela estrada idílica, cheia de curvas de Mercer Island, não pude deixar de notar que a perua branca tinha ido embora. E, com ela, fora Eve.

30

O piloto experiente acaba entendendo perfeitamente quando o carro está perto do limite e acaba se sentindo confortável para dirigir nesse limite; por isso, quando os pneus começam a perder a aderência, ele consegue corrigir, parar e se recuperar facilmente. O conhecimento de onde e quando ele pode forçar um pouco mais fica gravado profundamente no seu ser.

Quando a pressão é intensa e a corrida está apenas na metade, o piloto que está sendo perseguido incansavelmente por um adversário percebe que pode ser melhor um impulso de trás do que o vácuo da frente. Nesse caso, o mais sensato a fazer é entregar a liderança para o carro que o está perseguindo e deixar o outro piloto passar. Aliviado desse peso, o piloto pode ficar atrás e fazer o novo líder conduzir seus espelhos.

Às vezes, entretanto, é importante manter a posição e não permitir a ultrapassagem. Por questões estratégicas, razões psicológicas. Às vezes, um piloto simplesmente tem de provar que é melhor do que seus adversários.

Para correr é preciso disciplina e inteligência, não basta ter o pé mais pesado. Quem pilotar com inteligência vai sempre vencer no final.

31

Zoë insistiu em ir para a escola no dia seguinte, e quando Denny disse que iria pegá-la na hora da saída ela reclamou e disse que queria brincar com seus amigos no programa depois da escola. Denny concordou com relutância.

— Vou pegar você um pouco mais cedo do que de costume — ele disse, quando a deixou. Ele devia estar com medo de que os Gêmeos tentassem levá-la.

Da escola de Zoë fomos pela Union até a Fifteenth Avenue e encontramos um lugar para estacionar bem na frente do Victrola Coffee. Denny amarrou minha coleira em um poste para amarrar bicicletas e entrou; voltou alguns minutos depois com um café e um pão de minuto. Ele me soltou e me disse para sentar debaixo de uma mesa. Quinze minutos depois, alguém se juntou a nós. Um homem largo, mas atarracado, constituído por círculos: cabeça arredondada, torso arredondado, coxas arredondadas, mãos redondas. Não tinha cabelo no alto da cabeça, mas tinha muito nas laterais. Estava usando jeans muito largos e uma camiseta cinza grande com um W roxo gigantesco.

— Bom dia, Dennis — cumprimentou o homem. — Por favor, aceite as minhas mais sinceras condolências por sua grande perda.

Ele se inclinou e abraçou Denny com força, porém Denny estranhamente continuou sentado, as mãos no colo, olhando para a rua.

— Eu… — Denny começou, e então parou enquanto o homem o soltava e ficava em pé. — Obrigado. — Denny falou, pouco à vontade.

O homem acenou levemente a cabeça, ignorando a resposta confusa de Denny, e depois se acomodou entre os braços de metal da outra cadeira; ele não era gordo, e, na verdade, poderia ser considerado musculoso em algumas de suas circunferências, mas ainda assim era muito largo.

— Belo cachorro — elogiou. — Tem alguma coisa de terrier?

Levantei a cabeça. Eu?

— Não sei muito bem — Denny respondeu. — Provavelmente.

— Belo animal — o homem ponderou.

Fiquei impressionado com o simples fato de ter me notado.

— Ah, ela tira um ótimo café expresso — o homem falou, fazendo barulho ao tomar sua bebida.

— Quem? — Denny perguntou.

— Minha pequena barista lá dentro. Aquela com os lábios carnudos, com *piercing* na sobrancelha e olhos escuros como chocolate…

— Não reparei.

— Você está com muita coisa na cabeça — o homem falou. — Esta consulta irá lhe custar uma troca de óleo. Meu Mercedes Gullwing tem muita sede. Uma troca de óleo, independentemente de decidir ficar comigo.

— Ótimo.

— Deixe-me ver os papéis.

Denny lhe entregou o envelope que recebera de Maxwell. O homem o pegou e tirou os papéis de dentro.

— Eles disseram que Eve lhes disse que gostaria que criassem Zoë.

— Isso não importa.

— Às vezes ela tomava tantos remédios; poderia ter dito qualquer coisa — Denny falou desesperadamente. — Ela pode ter dito isso, mas não podia *querer dizer* realmente isso.

— Não importa o que disseram ou por que disseram — o homem falou secamente. — As crianças não são bens móveis. Não podem ser dadas ou comercializadas no mercado. Tudo que acontecer será feito no melhor interesse da criança.

— Foi o que eles disseram — Denny falou. — O melhor interesse de Zoë.

— Eles são pessoas instruídas. Ainda assim, os últimos desejos da mãe são irrelevantes. Por quanto tempo vocês ficaram casados?

— Seis anos.

— Outro filho?

— Não.

— Algum segredo?

— Nenhum.

O homem tomou seu café e folheou os papéis. Era um homem curioso, cheio de tiques e movimentos. Levei vários minutos para perceber que quando tocava o bolso com a mão, o que fez com muita freqüência, era porque ele tinha uma espécie de equipamento que fazia um zumbido escondido, e quando ele o tocava parava o zumbido. A atenção daquele homem estava em vários lugares ao mesmo tempo. E, mesmo assim, quando olhava para Denny, eu conseguia sentir que estava totalmente concentrado nele. Denny também, eu sabia, porque nesses momentos a tensão de Denny diminuía perceptivelmente.

— Você está em algum programa de tratamento para drogas?

— Não.

— Você já sofreu algum processo por abuso sexual?

— Não.

— Já foi condenado por algum crime? Já foi condenado à prisão?

— Não.

O homem guardou os papéis de novo no envelope.

— Isto não é nada — ele concluiu. — Onde está sua filha agora?

— Ela quis ir para a escola. Eu deveria tê-la mantido em casa?

— Não. Você está atento às necessidades dela. Isso é importante. Escute, você não precisa ficar muito preocupado. Vou pedir um julgamento sumário. Não vejo razão para não conseguirmos. A criança será sua sem nenhum problema.

Denny ficou animado.

— Por criança você quer dizer minha filha, Zoë?

— Sim — o homem falou, segurando Denny. — Por Cristo, estamos no estado de Washington! A menos que você esteja produzindo drogas na sua cozinha, a criança sempre é entregue ao pai biológico. Sem discussão.

— Está bem — Denny falou.

— Não entre em pânico. Não faça loucuras. Seja educado. Telefone para eles e diga que falou comigo. Diga-lhes que toda a correspondência deverá ser endereçada a mim como seu advogado. Vou telefonar para os advogados deles e avisar que estamos de antenas ligadas. Tenho a impressão de que eles estão procurando um ponto fraco; estão esperando que você vá embora silenciosamente. Os avós são assim. Acreditam que são melhores pais do que os próprios filhos, cujas vidas eles já estragaram. O problema é que os avós são um pé no saco porque têm dinheiro. Eles têm dinheiro?

— Muito.

— E você?

— Trocas de óleo para o resto da vida — Denny falou com um sorriso forçado.

— Trocas de óleo não vão diminuir o custo, Dennis. Cobro 45 dólares a hora. Preciso de um adiantamento de 2.500 dólares. Você tem isso?

— Eu consigo.

— Quando? Hoje? Esta semana? Na próxima?

Denny olhou duramente para o homem.

— Estamos falando da minha filha, Mark. Prometo pela minha alma que terá todos os dólares a que tem direito. Ela é minha filha.

Seu nome é Zoë. E eu agradeço se puder dizer o nome dela ou pelo menos o pronome correto quando se referir a ela.

Mark enrugou a testa e concordou.

— Entendo perfeitamente, Dennis. Ela é sua filha, e o nome dela é Zoë. E entendo que você é um amigo e confio em você. Desculpe pelo interrogatório. Às vezes encontro cada pessoa... — Ele fez uma pausa. — Cá entre nós, Dennis: estamos falando de algo como sete ou oito mil para acabar com este negócio. Você consegue, certo? É claro que você consegue. Abro mão do adiantamento pra você, meu amigo. — Ele ficou de pé e a cadeira quase ficou com ele, mas ele conseguiu se soltar antes de ficar em uma situação embaraçosa na frente das pessoas do Victrola. — Esta é uma ação de custódia totalmente encenada. Não consigo imaginar por que eles se dariam ao trabalho de dar entrada no processo. Telefone para os parentes — *seus parentes* — e diga a eles que tudo passa por mim. Vou mandar um assistente jurídico — *meu* assistente jurídico — dar uma olhada nisto ainda hoje. Eu realmente tenho um problema com os pronomes, não é mesmo? Obrigado por chamar minha atenção para isso. Acredite, eles não esperam que as coisas tomem este rumo. Eles o tinham como idiota, e você não é idiota, não é, campeão?

Ele tocou Denny no queixo.

— Fique frio com eles — Mark avisou. – Não fique nervoso. Fique frio e tudo será feito no melhor interesse da pequena Zoë, entendeu? Sempre diga que está fazendo tudo por causa dela. Entendeu?

— Entendi.

O homem fez uma pausa solene.

— Como é que você está se sentindo, meu amigo?

— Estou bem — Denny falou.

— Está dando um tempo? Esfriando a cabeça com... Como é o nome dele?

— Enzo.

— Belo nome. Belo cachorro.

— Ele está chateado — Denny falou. — Vou levá-lo comigo para o trabalho hoje. Não me sentiria bem se o deixasse sozinho em casa.

— Talvez fosse melhor você tirar uns dias — Mark aconselhou. — Sua mulher acabou de morrer. Mais este disparate. Craig lhe dará uma folga, e, se não der, telefono pra ele e ameaço entrar com uma ação por abuso trabalhista.

— Obrigado, Mark. Mas neste momento não consigo ficar em casa. São muitas lembranças...

— Ah.

— Preciso trabalhar. Preciso fazer alguma coisa. Seguir em frente.

— Entendido — Mark falou. — Não digo mais nada.

Ele pegou sua bolsa.

— Tenho de admitir — ele disse. — Ver você ganhar aquela corrida na TV foi muito bom. Qual foi? No ano passado?

— Watkins Glen — Denny respondeu.

— Sim. Watkins Glen. Foi muito bom. A mulher convidou algumas pessoas e eu estava fazendo o churrasco e liguei a pequena TV da cozinha, e os caras ficaram assistindo... bom.

Denny sorriu, mas sem muita convicção.

— Você é um bom homem, Dennis. Vou tomar conta disto. De todas as coisas com que você tem de se preocupar, esta não é uma delas. Deixe que *eu* me preocupo com esta parte. Você continua a tomar conta da sua filha, está certo?

— Obrigado.

Mark saiu pela rua e, quando virou a esquina, Denny olhou para mim e segurou as mãos à sua frente. Estavam tremendo. Ele não disse nada, mas olhou para as mãos trêmulas e então olhou para mim, e eu sabia o que ele pensava. Estava pensando que, se tivesse um volante em que pudesse se agarrar, suas mãos não estariam tremendo. Se tivesse um volante em que pudesse agarrar, tudo ficaria bem.

32

Passei a maior parte do dia andando pela oficina com os caras que arrumam os carros porque os donos da loja não gostavam que eu andasse pelo saguão, onde os clientes poderiam me ver.

Eu conhecia todos os rapazes da oficina. Não ia sempre ao trabalho, mas já tinha estado ali o bastante para que todos me conhecessem e me dessem uma canseira fazendo coisas como atirar uma chave de rodas pela oficina e tentar fazer com que eu fosse buscar, e, quando eu me recusava, eles riam e comentavam como eu era esperto. Havia um mecânico em especial, Fenn, que era realmente bacana, e todas as vezes que ele passava por mim, perguntava:

— Você já acabou?

No começo, eu não tinha idéia do que ele estava falando, mas finalmente entendi do que se tratava: um dos donos da loja, Craig, passava a maior parte do tempo perguntando aos mecânicos se tinham terminado o serviço nos carros, e Fenn estava apenas repassando a pergunta para o único que estava abaixo dele na hierarquia. Eu.

— Você já acabou?

Sentia-me estranhamente ansioso naquele dia, de uma maneira muito humana. As pessoas estão sempre preocupadas com o que vai acontecer em seguida. Têm dificuldade para ficar tranqüilas, ocupar-se com o agora sem se preocupar com o futuro. As pessoas geralmente não estão satisfeitas com o que têm; estão sempre muito preocupadas com o que *vão* ter. Um cão pode praticamente desligar sua psique e diminuir suas faculdades antecipatórias, como David Blaine* tentando bater o recorde sem respirar no fundo de uma piscina — o sentido de tempo do mundo ao seu redor simplesmente se modifica. Em um dia normal, posso ficar deitado tranqüilamente durante horas sem esforço algum. No entanto, naquele dia eu estava ansioso. Estava nervoso e preocupado, inquieto e distraído. Ficava dando voltas sem conseguir parar. Não me importava com a sensação, mas percebi que talvez fosse a progressão natural da evolução da minha alma, e por isso me esforcei para aceitar o que acontecia.

Um dos boxes da oficina estava aberto, e um chuvisco pegajoso enevoou o ar. Skip, o grandão engraçado de barba comprida, estava lavando os carros que estavam prontos para a entrega, apesar de estar chovendo.

— Chuva não é sujeira; *sujeira* é sujeira — ele repetia para si mesmo, o lema dos lava-rápidos de Seattle. Ele apertava a esponja, e a água cheia de sabão escorria pelo pára-brisa de um imaculado BMW 2002 verde. Deitei no limiar da entrada, com a cabeça entre as patas da frente, vendo-o trabalhar.

O dia parecia que não ia acabar nunca, até aparecer o carro da polícia de Seattle, de onde saíram dois policiais.

— Os senhores querem que eu lave o carro? — Skip falou alto.

* David Blaine é um ilusionista norte-americano, conhecido também pelos desafios incomuns aos quais se submete, nos quais testa os limites do corpo e da mente. (N. do E.)

Os homens pareciam confusos com a pergunta. Trocaram olhares.

— Está chovendo — um deles falou.

— Chuva não é sujeira — Skip disse alegremente. —*Sujeira* é sujeira.

Os homens olharam para ele com estranheza, como se não soubessem se ele estava fazendo piada ou se falava sério.

— Não, obrigado — respondeu um deles, enquanto caminhavam até a porta do saguão e entravam.

Passei pelas portas vai-e-vem da oficina e fui até a recepção. Caminhei por trás do balcão onde Mike estava atendendo.

— Boa tarde, senhores — ouvi Mike dizer. — Algum problema com seu carro?

— Você é Dennis Swift? — perguntou um deles.

— Não.

— Ele está aqui?

Mike hesitou. Dava para sentir a tensão repentina.

— Talvez já tenha ido embora — Mike respondeu. — Posso verificar. Quem gostaria de falar com ele?

— Temos um mandado de prisão contra ele — disse um dos policiais.

— Vou ver se ele ainda está lá atrás.

Mike se virou e tropeçou em mim.

— Enzo. Saia daqui, rapaz.

Ele olhou para o policial, nervoso.

— O cão é da loja. Está sempre no caminho.

Eu o segui até os fundos, onde Denny estava trabalhando no computador, dando entrada nas notas para as pessoas que queriam seus carros até o fim do dia.

— Den — Mike chamou. — Chegaram dois policiais lá na frente com um mandado.

— Para...? — Denny perguntou, sem sequer tirar os olhos da tela, digitando as notas.

— Você. Para sua prisão.

Denny parou o que estava fazendo.

— Para o quê?

— Não ouvi os detalhes. Mas eles estão usando o uniforme da polícia e não parecem dançarinos contratados e, de qualquer forma, hoje não é seu aniversário, por isso não acho que seja uma brincadeira.

Denny se levantou e começou a andar na direção do saguão.

— Eu disse a eles que você talvez já tivesse ido embora — Mike falou, indicando a porta dos fundos com o queixo.

— Agradeço a intenção, Mike. Mas, se eles têm um mandado, provavelmente sabem onde eu moro. Vamos descobrir do que se trata.

Como um comboio, nós três deixamos a sala e fomos até o balcão.

— Eu sou Denny Swift.

O policial assentiu com a cabeça.

— Poderia sair de trás do balcão, senhor?

— Algum problema? Pode me dizer o que está ocorrendo?

Havia meia dúzia de pessoas no saguão esperando pelas notas; todos ergueram os olhos, esquecendo o que estavam lendo.

— Por favor, saia de trás do balcão — repetiu o policial.

Denny hesitou por um momento, e então obedeceu.

— Temos um mandado de prisão.

— Sob qual alegação? — Denny perguntou. — Posso vê-lo? Deve estar havendo algum engano.

O policial entregou uma folha de papel a Denny. Denny leu.

— Vocês estão brincando — ele disse.

— Não, senhor — respondeu o policial, pegando o papel de volta. — Por favor, coloque as mãos no balcão e afaste as pernas.

Craig, o chefe de Denny, apareceu.

— Policiais? — ele falou, aproximando-se. — Não acho que isso seja necessário, e, se for, podem fazer isso lá fora.

— Alto lá, senhor — o policial falou com severidade, apontando o dedo comprido na direção de Craig.

Mas Craig estava certo. Tudo aquilo havia sido arquitetado para ser prejudicial. Era o saguão de um local comercial. Havia pessoas ali, esperando por seus BMWs e Mercedes Gullwing e outros carros chiques. A polícia não precisava fazer aquilo na frente daquelas pessoas. Elas eram clientes. Confiavam em Denny, e agora ele era tratado como criminoso? O que a polícia estava fazendo não estava certo. Devia haver uma maneira melhor. No entanto, eles tinham armas e cassetetes. Tinham *spray* de pimenta e aparelhos de choque. E a polícia de Seattle era conhecida por ser enérgica.

Denny obedeceu e colocou as mãos sobre o balcão e abriu as pernas; o policial passou a mão por todo o seu corpo.

— Por favor, vire-se e coloque as mãos nas costas — disse o policial.

— Você não precisa usar as algemas — Craig pediu nervosamente. — Ele não vai sair correndo.

— Senhor! — o policial gritou. — Quieto!

Denny se virou e colocou as mãos atrás das costas e foi algemado pelo policial.

— Tem o direito de permanecer em silêncio — disse o policial. — Qualquer coisa que diga poderá ser usada para incriminá-lo...

— Quanto tempo vai levar isto? — Denny perguntou. — Preciso ir buscar minha filha.

— Sugiro que tome outras providências — respondeu o outro policial.

— Posso pegá-la, Denny — Mike falou.

— Você não está na lista de pessoas autorizadas.

— Então quem é que posso chamar?

— ... um advogado será designado...

— Chame o Mark Fein — Denny falou, desesperado. — O telefone dele está no computador.

— Entende os direitos que acabei de ler para o senhor?

— Você precisa que eu pague uma fiança para você sair? — Craig perguntou. — O que precisar...

— Não tenho a menor idéia do que vou precisar — Denny falou. — Chame o Mark. Talvez ele possa pegar Zoë.

— *Entende os direitos que acabei de ler para o senhor?*

— Eu entendo! Sim, eu entendo!

— Por que está sendo preso? — Mike perguntou.

Denny olhou para os policiais, mas eles ficaram calados. Esperaram que Denny respondesse a pergunta. Eram bem treinados nos sofisticados métodos para dobrar um suspeito — fazer com que ele mesmo contasse qual era o seu crime.

— Estupro de uma criança em terceiro grau — Denny falou.

— Estupro qualificado — um dos policiais esclareceu.

— Mas eu não estuprei ninguém — Denny falou para o policial. — Quem está por trás disso? Que criança?

Houve um longo silêncio. As pessoas que estavam no saguão estavam atônitas. Denny estava em pé diante de todas elas, as mãos presas nas costas, e todos podiam ver que estava sendo preso, agora não poderia pilotar um carro. A atenção estava voltada para os policiais e suas camisas cinza-azuladas com as insígnias e suas armas, cassetetes, bastões, e bolsos de couro em volta da cintura. Era uma cena muito dramática. Todo mundo queria saber a resposta àquela pergunta. *Que criança?*

— A que você estuprou — respondeu o policial.

Eu o desprezei pelo que fazia, mas tinha de admirar seu talento dramático; sem mais nenhuma palavra, o policial levou Denny embora.

33

Não testemunhei boa parte do que aconteceu com Denny em relação à custódia de Zoë, assim como em relação às acusações de estupro qualificado de uma criança em terceiro grau. Esses acontecimentos se estenderam por quase três anos da nossa vida, pois uma das táticas de Maxwell e Trish foi fazer com que o processo se arrastasse para que Denny ficasse sem dinheiro e também para abalar sua determinação, além de manipular seu desejo de ver Zoë crescer em um ambiente amoroso e seguro. Não tive acesso à maior parte das informações. Não fui convidado a participar de nenhuma das audiências. Só pude participar de alguns encontros de Denny com seu advogado, Mark Fein, mais especificamente aqueles ocorridos no Victrola Coffee (porque Mark Fein tinha uma queda pela barista de *piercing* na sobrancelha e olhos de chocolate). Não acompanhei Denny até a delegacia quando ele foi preso. Não estava presente quando ele foi fichado, acusado, nem quando passou pelo detector de mentiras.

Boa parte do que vou contar sobre o suplício que foi a nossa vida depois da morte de Eve é uma reconstrução baseada em informações que reúni com conhecimento adquirido de segunda mão, conversas que escutei, e práticas legais reconhecidas que vi em vários programas de televisão, principalmente a série *Law & Order*, e derivações dela: *Law & Order — Special Victims Unit* e *Law & Order — Criminal Intent*, e a muito malévola *Trial by Jury*. Outros detalhes relativos à metodologia e terminologia criminais são baseados em dois dos melhores programas de televisão em histórias do gênero: *Arquivo Confidencial*, com James Garner, que também estrelou *Grand Prix*, o excelente filme sobre o mundo do automobilismo; e, é claro, o maior de todos os seriados policiais, *Columbo*, com o fabuloso e excepcionalmente inteligente Peter Falk, no papel-título. (Meu sexto ator favorito é Peter Falk.) E, finalmente, meu conhecimento a respeito das salas de tribunal se baseia apenas no trabalho do maior de todos os dramaturgos forenses, Sidney Lumet, cujos inúmeros filmes, entre eles *O Veredicto* e *Doze Homens e uma Sentença*, me influenciaram tremendamente; como observação à parte, diria que a escalação de Al Pacino em *Um Dia de Cão* foi algo absolutamente inspirador.

Minha intenção, aqui, é contar nossa história de maneira dramaticamente verídica. Embora os fatos possam não ser absolutamente exatos, por favor, entendam que a emoção é verdadeira. A intenção é verdadeira. E, falando dramaticamente, a intenção é tudo.

34

Eles o levaram para uma sala pequena com uma mesa grande e muitas cadeiras. As paredes tinham janelas que davam para o escritório adjacente, ocupado por detetives policiais que faziam seu trabalho de detetives em suas mesas, como em *Law & Order*. Persianas de madeira filtravam a luz azul que entrava na sala, marcando a mesa e o chão com sombras.

Ninguém o incomodou. Não apareceu um policial ruim para lhe puxar a orelha ou bater nele com a lista telefônica ou esmagar seus dedos na porta ou bater sua cabeça contra o quadro-negro, como costuma acontecer na televisão. Não. Depois de ter sido fichado, fotografado e de ter gravado as impressões digitais, ele foi colocado em uma sala, sozinho, e deixado ali, como se a polícia tivesse se esquecido dele completamente. Ficou sentado sozinho. Ficou sentado durante quatro horas sem fazer nada. Nem um café, nem água, sem uma ida ao banheiro, sem rádio. Nenhuma distração. Seu crime e sua punição, e ele. Sozinho.

Ele ficou desesperado? Ele se odiou por se permitir ficar naquela situação? Ou ele finalmente compreendeu o que é ser como eu, ser um cachorro? Ele entendeu, enquanto aqueles intermináveis minutos passavam, que ficar sozinho não é o mesmo que estar solitário? Que ficar sozinho é um estado neutro; é como um peixe cego no fundo do oceano: sem olhos, e portanto sem julgamento. É possível? Que o que está ao meu redor não afeta o meu humor; meu humor é que afeta o que está ao meu redor. É verdade? Denny poderia de alguma maneira apreciar a natureza subjetiva da solidão, que é algo que existe apenas na mente, e não no mundo, e, como um vírus, é incapaz de sobreviver sem um hospedeiro?

Gosto de pensar que ele ficou sozinho durante esse tempo, mas que não se sentiu solitário. Gosto de pensar que ele pensou em sua condição, mas não se desesperou.

E então Mark Fein irrompeu na delegacia de Capitol Hill, em Seattle; entrou e começou a gritar. Esse é o estilo tempestuoso de Mark Fein. Bombástico. Barulhento. Belicoso. Briguento. Mark Fein parecia estar sempre brigando. Mark Fein era a própria personificação da letra B. Ele empurrou a porta, avançou para a escrivaninha, gritou com o sargento de plantão e pagou a fiança de Denny.

— Que merda é esta, Dennis? — Mark exigiu saber quando estavam na esquina.

— Não é nada — Denny respondeu, sem interesse pela conversa.

— Ao diabo que não é! Uma garota de 15 anos? Dennis! Uma merda que não é nada!

— Ela está mentindo.

— Está? Você teve relações sexuais com essa menina?

— Não.

— Você penetrou qualquer um de seus orifícios com os seus órgãos genitais ou qualquer outro objeto?

Denny encarou Mark Fein e se recusou a responder.

— Isso faz parte de um plano, você não vê? — Mark falou, frustrado. — Não entendi por que eles haviam entrado com um processo pela custódia, mas isso muda tudo.

Denny permaneceu calado.

— Um pedófilo. Um agressor sexual. Um estuprador acusado pela lei. Molestador de crianças. Você acha que algum desses termos se encaixa no conceito de "melhor interesse da criança"?

Denny comprimiu os dentes; os músculos do queixo ficaram proeminentes.

— Em meu escritório, às oito e trinta da manhã — Mark falou. — Não se atrase.

Denny corou.

— Onde está Zoë?

Mark Fein enfiou o calcanhar no pavimento.

— Eles chegaram antes. A sincronização neste caso não foi um acidente.

— Eu vou buscá-la — Denny falou.

— Não! — Mark ordenou. — Deixe estar. Agora não é hora para bancar o herói. Quando você está preso na areia movediça, a pior coisa é se mexer.

— Então agora estou preso em areia movediça?

— Dennis, neste momento você está na areia mais movediça do mundo.

Denny se virou para ir embora.

— Não saia do estado — Mark gritou para ele. — E, pelo amor de Deus, Denny, nunca mais *olhe* para outra menina de 15 anos!

Mas Denny já tinha virado a esquina e havia desaparecido.

35

As mãos são as janelas para a alma do homem.

Assista a muitos vídeos feitos de dentro do carro e você descobrirá a verdade dessa afirmação. A pegada tensa, rígida de um piloto reflete seu estilo de pilotagem tenso, rígido. A movimentação de mãos nervosas de outro piloto revela seu desconforto com o carro. As mãos de um piloto precisam estar relaxadas, sensíveis, conscientes. Muita informação é transmitida pelo volante de um carro; uma pegada muito forte ou muito nervosa não permite que essa informação seja comunicada ao cérebro.

Dizem que os sentidos não funcionam sozinhos, porém são combinados em uma parte especial do cérebro que cria um quadro do corpo como um todo: os sensores da pele dizem ao cérebro como está a pressão, a dor, o calor; os sensores das juntas e tendões dizem ao cérebro como está a posição do corpo no espaço; os sensores internos dos ouvidos falam do equilíbrio; e os sensores dos órgãos internos indicam como está o estado emocional. Restringir-se a um único canal de informação é burrice para o piloto; permitir o fluxo desimpedido da informação é uma coisa divina.

Ver as mãos de Denny tremerem era algo tão perturbador para mim quanto era para ele. Depois da morte de Eve, ele olhava muito para suas mãos, segurava-as diante dos olhos como se não fossem mãos, erguia-as e ficava vendo como tremiam. Ele tentava fazer isso sem que os outros vissem.

— São os nervos — dizia-me, sempre que eu o pegava em seu exame "manual". — Estresse. — E então enfiava as mãos nos bolsos da calça e as deixava lá, fora da vista.

Quando Mike e Tony me levaram para casa naquela noite, Denny estava esperando na varanda escura com as mãos enfiadas nos bolsos.

— Não só não quero conversar a respeito — Denny disse a eles —, como o Mark me disse para não falar. É isso.

Ficaram na entrada olhando para ele.

— Podemos entrar? — Mike perguntou.

— Não — Denny respondeu, e então, percebendo sua aspereza, tentou explicar. — Não estou muito a fim de companhia neste momento.

Eles fitaram Denny por um momento.

— Você não precisa conversar sobre o que está acontecendo — Mike falou. — Mas é bom *conversar*. Você não pode guardar tudo. Não é saudável.

— Talvez você esteja certo. Mas não é assim que eu funciono. Primeiro eu preciso... assimilar... o que está acontecendo, e depois poderei falar. Mas agora, não.

Nem Mike nem Tony se moveram. Era como se estivessem decidindo se iriam respeitar o pedido de Denny para ficar sozinho ou se passariam por ele para entrar na casa e lhe fazer companhia à força. Eles olharam um para o outro, e pude sentir a ansiedade deles; desejei que Denny compreendesse o quanto estavam preocupados com ele.

— Você vai ficar bem? — Mike perguntou. — Nós não precisamos nos preocupar com o gás sendo ligado e você acendendo um cigarro ou coisa do tipo, não é?

— O forno é elétrico. E eu não fumo.

— Ele vai ficar bem — Tony disse para Mike.

— Quer deixar Enzo conosco ou qualquer outra coisa?

— Não.

— Quer que lhe traga algo do mercado?

Denny sacudiu a cabeça.

— Ele vai ficar bem — Tony falou de novo, e agarrou o braço de Mike.

— Meu telefone está sempre à disposição — Mike avisou. — Linha direta vinte e quatro horas. Se precisar falar, se precisar de qualquer coisa, telefone.

Voltaram a passar pela entrada.

— Nós demos comida para o Enzo! — Mike falou da calçada.

Eles saíram e nós entramos em casa. Ele tirou as mãos dos bolsos e as ergueu para ver como tremiam.

— Estupradores não conseguem a custódia de suas filhinhas — ele disse. — É assim que funciona.

Eu o segui até a cozinha, preocupado, achando que ele havia mentido e que talvez tivéssemos um forno a gás. Mas ele não foi até o forno; foi ao armário e pegou um copo. Então foi até onde guardava a bebida e pegou uma garrafa. Ele se serviu de uma bebida.

Era absurdo. Deprimido, estressado, as mãos tremendo, e agora ele iria se embebedar? Não podia tolerar aquilo. Lati forte para ele.

Denny olhou para mim, com a bebida na mão, e eu olhei para ele. Se eu tivesse mãos, teria aberto uma delas e dado um tapa na cara dele.

— Qual é o problema, Enzo, chavões demais para você?

Eu lati de novo. Chavões muito *patéticos* para mim.

— Não me julgue — ele falou. — Não é sua função. Sua função é me dar apoio, e não me julgar.

Tomou a bebida e então me encarou, e eu o julguei. Ele estava agindo exatamente como queriam que agisse. Estavam dando uma surra nele, e ele estava prestes a desistir e então estaria tudo acabado, e eu teria de passar o resto da minha vida com um bêbado sem outra coisa para fazer além de ficar olhando com expressão vazia as imagens piscando na tela da TV. Esse não era o meu Denny. Esse era um personagem patético de um drama banal da televisão. E eu não gostava dele.

Saí da sala pensando em ir para a cama, mas eu não queria dormir no mesmo quarto daquele Denny impostor. Daquela cópia de Denny. Fui para o quarto de Zoë, me aninhei no chão perto de sua cama e tentei dormir. Zoë era a única que eu havia deixado.

Mais tarde — embora eu não soubesse quanto tempo depois — ele apareceu na porta.

— Na primeira vez que eu levei você para passear no meu carro, quando você era um filhotinho, você sujou todo o banco de vômito — ele disse. — Mas eu não desisti de você.

Ergui a cabeça do chão, sem entender o que ele queria dizer.

— Não bebi. Sou melhor do que isso.

Ele se virou e foi embora. Eu o ouvi caminhando pela sala e depois ligando a TV.

Então ele não se entregara irremediavelmente à bebida, refúgio dos fracos e chorões. Ele entendeu o que eu quis dizer. Gestos são tudo que tenho.

Eu o encontrei no sofá assistindo a um vídeo com Zoë, Eve e eu, de anos atrás, quando fomos para Long Beach, na costa de Washington. Zoë ainda era bebê. Eu lembrava muito bem daquele fim de semana; parecia que éramos todos tão jovens, correndo atrás de pipas na praia larga que se perdia na distância. Sentei perto do sofá e também assisti ao vídeo. Éramos tão ingênuos; não sabíamos para onde a estrada nos levaria; não tínhamos idéia de que algum dia iríamos nos separar. A praia, o mar, o céu. Estavam lá para nós e só para nós. Um mundo sem fim.

— Nenhuma corrida jamais foi ganha na primeira curva — ele falou. — Mas muitas corridas foram perdidas aí.

Olhei para ele. Denny estendeu o braço, colocou a mão no alto da minha cabeça e coçou minha orelha como sempre fazia.

— Está certo — ele me falou. — Se vamos viver de chavões, que sejam positivos.

Sim: a corrida é longa — terminar primeiro; primeiro você precisa terminar.

36

Existem poucas coisas de que gosto mais do que uma longa caminhada sob a garoa de Seattle. Não ligo para o peso da chuva de verdade; gosto da garoa fina, da sensação das minúsculas gotas de água no meu focinho e nos meus olhos. Do frescor do ar, que foi subitamente contaminado por ozônio e íons negativos. Enquanto a chuva é pesada e capaz de apagar os aromas, uma chuva leve na verdade acentua os odores; libera as moléculas, dá vida ao odor, e então o transporta pelo ar até o meu nariz. E é por isso que adoro Seattle mais do que qualquer outro lugar, mais até do que o Thunderhill Raceway Park. Porque, apesar de os verões serem muito secos, quando chegam as estações úmidas, não há um dia sequer sem a presença da minha tão adorada garoa.

Denny me levou para um passeio lá fora, e eu o saboreei. Fazia apenas alguns dias que Eve tinha morrido, mas, desde sua morte, eu vinha me sentindo sem liberdade e sufocado, sentado com Denny na casa durante a maior parte do tempo, respirando sempre o mesmo ar parado. Denny também parecia ansiar pela mudança; em vez de jeans, camiseta e capa de chuva amarela, ele vestiu uma calça escura e colocou sua *trench coat* preta por cima de um suéter de *cashmere* de gola alta.

Seguimos para o norte pela Madison Valley e entramos na Arboretum. Depois de passarmos a parte perigosa, onde não existe calçada e os carros seguem com velocidade acima do limite de segurança, viramos em uma rua menor e Denny soltou minha coleira.

Adoro isto: correr por um campo de grama ainda úmida que está há algum tempo sem ser cortada, adoro correr mantendo o focinho baixo, perto do chão, de forma que a grama e os respingos de água cubram meu rosto. Eu me imagino como um aspirador de pó, aspirando todos os odores, toda a vida, as folhas da grama de verão. Eu me lembro da infância, da fazenda em Spangle, onde não havia chuva, mas tínhamos grama, campos, e eu corria.

Eu corri e corri naquele dia. E Denny caminhou, pisando com firmeza. No ponto em que costumávamos voltar, continuamos a andar. Cruzamos a ponte para pedestres e viramos em Montlake. Denny voltou a colocar a minha coleira e atravessamos uma avenida mais larga, e estávamos em um parque novo! Adorei. Mas era diferente.

— Interlaken — Denny me disse ao soltar a coleira.

Interlaken. Este parque não era feito de campos e terras planas. Era uma ravina toda retorcida e cheia de ondulações, com vinhas e arbustos e uma camada sobre o solo, coberto pelas árvores mais altas e uma infinidade de folhas. Era maravilhoso. Enquanto Denny seguia pelo caminho, eu subia e descia pela colina, escondendo-me nos arbustos mais baixos e fingindo que era um agente secreto, ou correndo o mais rápido que podia através de obstáculos e fingindo que era um predador, como nos filmes, caçando algo, perseguindo minha presa.

Durante muito tempo caminhamos e corremos pelo parque, eu correndo cinco passos para cada um de Denny, até ficar exausto e morto de sede. Saímos do parque e andamos até um bairro que eu não conhecia. Denny parou em um café para tomar algo quente. Ele me trouxe água em um copo de papel, difícil para beber, mas deu para matar a sede.

E continuamos andando.

Sempre adorei atividade e caminhadas, em especial com Denny, meu parceiro favorito para caminhar, principalmente na garoa fina, mas, tenho de admitir, naquele momento eu estava ficando bastante cansado. Tínhamos ficado fora por mais de duas horas, e, depois de uma longa caminhada como essa, gosto de ir para casa e brincar de enxugar com a toalha e então deitar para uma boa soneca. Contudo, não houve soneca; continuamos andando.

Reconheci a Fifteenth Avenue quando chegamos, e eu conhecia o Volunteer Park muito bem. No entanto, fiquei surpreso quando fomos para o Lake View Cemetery. É claro que eu sabia da importância do Lake View Cemetery, apesar de nunca ter estado lá. Tinha visto um documentário a respeito de Bruce Lee; ele está enterrado em Lake View, ao lado de seu filho, Brandon, que foi um ator maravilhoso até sua morte prematura. Fico muito chateado com a história de Brandon Lee porque ele foi vítima da maldição da família, mas também porque seu último filme foi *O Corvo*, título infeliz para um filme infeliz baseado numa história em quadrinhos escrita por alguém que certamente não tinha idéia da verdadeira natureza dos corvos. Porém essa é uma conversa para outra hora. Entramos no cemitério, e não procuramos os túmulos de Bruce e Brandon Lee, dois ótimos atores. Procurávamos outra coisa. Seguindo pelo caminho asfaltado em direção ao norte, contornamos a planície central e chegamos a uma tenda, sob a qual estavam reunidas muitas pessoas.

Estavam todas bem agasalhadas, e as que não estavam se protegiam da garoa junto à tenda segurando guarda-chuvas. Vi Zoë imediatamente.

Ah. A luz acendeu. Denny havia se vestido para a ocasião.

Nós nos aproximamos das pessoas, que estavam meio desorganizadas, andando em círculos, a atenção dispersa. A cerimônia ainda não havia começado.

Chegamos muito perto deles e então, subitamente, alguém surgiu do meio do grupo. Um homem. E depois outro homem, e outro. Os três vieram em nossa direção.

Um deles era Maxwell. Os outros eram irmãos de Eve, cujos nomes eu nunca sabia porque apareciam muito pouco.

— Você não é bem-vindo aqui — Maxwell falou secamente.

— Ela é minha mulher — Denny falou calmamente. — A mãe da minha filha.

Ela estava lá, a filha. Zoë viu seu pai. Acenou para ele, e ele acenou de volta.

— Você não é bem-vindo aqui — Maxwell repetiu. — Saia ou chamarei a polícia.

Os dois irmãos se adiantaram. Na posição que precede uma luta.

— Você já os chamou, não é mesmo?

Maxwell encarou Denny com desprezo.

— Você foi avisado.

— Por que está fazendo isso?

Maxwell avançou na área demarcada para Denny.

— Você nunca foi bom para Eve — Maxwell falou. — E, depois do que fez a Annika, não posso confiar Zoë a você.

— Não aconteceu nada naquela noite...

Mas Maxwell já tinha se virado.

— Por favor, acompanhem o senhor Swift para longe daqui — ele disse aos dois irmãos, e afastou-se abruptamente.

Eu vi Zoë ao longe, e ela não conseguiu mais se controlar; pulou da cadeira e correu em nossa direção.

— Dê o fora — disse um dos homens.

— É o funeral de minha esposa — Denny falou. — Vou ficar.

— Saia imediatamente daqui — disse o outro homem, dando um soco nas costelas de Denny.

— Pode bater, se quiser. Não vou revidar.

— Molestador de crianças — provocou o primeiro homem, acertando o peito de Denny. Denny não saiu do lugar. Um homem que pilota um carro de 900 quilos a mais de 200 quilômetros por hora não se assusta com o barulho que fazem frangotes.

Zoë nos alcançou e pulou em Denny. Ele a ergueu no ar e a segurou no colo e beijou seu rosto.

— Como está o meu bebê? — ele perguntou.

— Como está o meu papai? — ela perguntou também.

— Estou indo — ele respondeu. Ele se virou para o irmão que tinha acabado de empurrá-lo. — Desculpe, não entendi o que acabou de dizer. Talvez queira repetir na frente da minha filha.

O homem deu um passo atrás, e então Trish se aproximou rapidamente de nós. Ela se colocou entre Denny e os irmãos. Disse a eles para irem embora, e virou-se para Denny.

— Por favor — ela pediu. — Entendo por que está aqui, mas isso não pode ser assim. Não acho que você deva ficar. — Ela hesitou por um instante, e então continuou: — Sinto muito. Você deve estar tão sozinho.

Denny não respondeu. Olhei para ele, e seus olhos estavam cheios de lágrimas. Zoë também percebeu, e começou a chorar com ele.

— Tudo bem chorar — ela disse. — A vovó diz que chorar ajuda porque leva a dor embora.

Ele fitou Zoë longamente, e ela o fitou também. Então ele suspirou, cheio de tristeza.

— Você, ajude a vovó e o vovô a serem fortes, certo? — ele disse. — Tenho de cuidar de alguns assuntos importantes. Em relação à mamãe, algumas coisas precisam ser feitas.

— Eu sei — ela falou.

— Você vai ficar com a vovó e com o vovô mais algum tempo, até eu resolver tudo, certo?

— Eles me disseram que talvez eu ficasse com eles por algum tempo.

— Bem — ele disse, sem esconder o arrependimento —, vovó e vovô são muito bons para prever as coisas.

— Podemos fazer um acordo — Trish falou. — Sei que você não é má pessoa...

— Não há acordo — Denny falou.

— Com o tempo, você verá. É o melhor para Zoë.

— Enzo! — Zoë gritou de repente, descobrindo que eu estava embaixo dela. Ela se soltou de Denny e me agarrou pelo pescoço. — Enzo!

Fiquei surpreso e feliz por aquela recepção calorosa, por isso lambi seu rosto.

Trish se inclinou para Denny.

— Você deve ter sentido muito a falta de Eve — ela sussurrou para ele. — Mas aproveitar-se de uma garota de 15 anos...

Denny enrijeceu o corpo abruptamente e se afastou dela.

— Zoë — ele falou —, Enzo e eu vamos assistir de um lugar especial. Vamos, Enzo.

Ele se abaixou e a beijou na testa, e nos afastamos.

Zoë e Trish ficaram olhando. Seguimos pelo caminho circular e subimos até o topo de uma colina, onde ficamos debaixo das árvores; e, protegidos da chuva leve, assistimos a tudo. As pessoas prestando atenção. O homem lendo um livro. As pessoas jogando rosas sobre o caixão. E todos saindo em seus carros.

Nós ficamos. Ficamos olhando os trabalhadores que vieram desmanchar a tenda. Os trabalhadores que vieram abaixar o caixão com um aparelho muito estranho.

Nós ficamos. Ficamos olhando os homens trabalharem com o pequeno trator para jogar terra sobre ela. Nós esperamos.

Quando todos foram embora, descemos a colina e ficamos diante do monte de terra e choramos. Nós nos ajoelhamos e choramos, e pegamos um pouco da terra, do monte de terra, e sentimos o último pedaço de Eve, a última parte que pudemos sentir, e choramos.

Finalmente, quando não havia mais o que fazer, ficamos em pé. E começamos a longa caminhada de volta para casa.

37

Na manhã seguinte ao funeral de Eve, eu mal podia me mexer. Meu corpo estava tão duro que eu não conseguia sequer ficar em pé. E Denny teve de me procurar porque normalmente levanto imediatamente e o ajudo com o café da manhã. Eu estava com 8 anos de idade, dois anos mais velho que Zoë, apesar de me sentir muito mais como seu tio do que como seu irmão. Embora ainda fosse muito jovem para estar com artrite nos quadris, era exatamente esse o meu problema. Artrite degenerativa causada por displasia nos quadris. Era uma situação desagradável, sim; mas, de certa maneira, era um alívio poder me concentrar em minhas próprias dificuldades em vez de ficar pensando em outras coisas que preocupavam meus pensamentos: especificamente, Zoë abandonada com os Gêmeos.

Eu era muito jovem quando descobri que havia algo anormal com meus quadris. Havia passado a maior parte dos meus primeiros meses de vida correndo e brincando com Denny, só nós dois, por isso não tinha havido muito tempo para me comparar com outros cães. Quando cresci o bastante para freqüentar os parques de cães, percebi que o fato de manter juntas as pernas traseiras quando caminhava — embora muito mais confortável para mim — era um sinal claro de que os meus quadris tinham algum defeito. A última coisa que eu queria era ser visto como um desajustado, portanto treinei para andar e correr de maneira que disfarçasse meu defeito.

Quando fiquei adulto e a cartilagem protetora das extremidades dos ossos se desgastaram, o que é comum acontecer com as cartilagens, a dor se tornou mais aguda. Mesmo assim, em vez de reclamar, tentei esconder meu problema. Talvez tenha sido sempre mais parecido com Eve do que gostaria de admitir, pois sempre desconfiei do mundo médico imensamente, e encontrei maneiras de compensar minha dificuldade de modo que pudesse evitar um diagnóstico que certamente iria apressar a minha morte.

Como já disse, não sei qual era a origem da desconfiança de Eve em relação à medicina; as origens da minha desconfiança, entretanto, são muito claras. Quando era apenas um filhote, com não mais do que uma ou duas semanas, o homem alfa da fazenda em Spangle me apresentou um amigo. O homem me segurou no colo e me fez carinho, sentindo minhas pernas dianteiras demoradamente.

— Elas deveriam se soltar — ele disse para o homem alfa.

— Eu seguro ele — disse o homem alfa.

— Ele precisa de anestesia, Will. Você deveria ter me chamado na semana passada.

— Não vou gastar meu dinheiro com um cachorro, doutor — disse o homem alfa. — Corte.

Eu não tinha idéia do que estavam falando, mas então o homem alfa me agarrou firme na metade do corpo. O outro homem, o tal do "doutor", pegou a minha pata direita e, com uma tesoura brilhante, que refletia os raios do sol, cortou meu quinto dedo. Meu polegar direito. A dor se espalhou pelo meu corpo, uma dor devastadora, demolidora. Estava sangrando, horrivelmente, e eu gani. Lutei desesperadamente para me soltar, mas o homem alfa me apertava com tanta força que eu mal conseguia respirar. Então o doutor pegou minha pata esquerda e, sem hesitar por um segundo, cortou meu polegar esquerdo. *Clique*. Acho que me lembro disso mais do que da dor. O barulho. *Clique*. Tão alto! Então o sangue se espalhou por toda parte. A dor era tão intensa que fiquei tremendo, me sentindo muito fraco. Depois, o doutor colocou remédio nas minhas feridas e enfaixou minhas patas, e sussurrou para mim:

— Só um canalha miserável se recusa a pagar por um pouco de anestesia local para seus filhotes.

Percebe? É por causa disso que não confio neles. Só um canalha cruel fará o corte sem anestesia porque quer ser pago.

No dia seguinte ao funeral de Eve, Denny me levou ao veterinário, um homem magro que cheirava a feno e que tinha um bolso sempre cheio de coisas gostosas. Examinou meus quadris e eu tentei não me contrair, mas não consegui evitar quando ele apertou certos lugares. Ele apresentou o diagnóstico, receitou um antiinflamatório e falou que não podia fazer nada, a não ser uma cirurgia dispendiosa para substituir as partes problemáticas, algum dia no futuro.

Denny agradeceu ao homem e me levou para casa.

— Você está com displasia nos quadris — ele me disse.

Se tivesse dedos, eu os teria enfiado nas orelhas até estourar meus próprios tímpanos. Qualquer coisa para evitar escutar.

— Displasia nos quadris — ele repetiu, balançando a cabeça, admirado.

Também balancei a cabeça. Com esse diagnóstico, seria o meu fim. Lentamente, talvez. Dolorosamente, sem dúvida; marcado pelos sinais apresentados pelo veterinário. O visível torna-se inevitável. O carro vai para onde vão seus olhos. Qualquer que tenha sido o trauma que levou Eve a desconfiar da medicina, pude ver apenas os efeitos: ela tinha sido incapaz de desviar o olhar de onde os outros lhe tinham dito para olhar. É rara a pessoa que consegue suportar o peso de um diagnóstico terminal, recusar-se a aceitá-lo e escolher um caminho diferente. Pensei em Eve e em como ela abraçou rapidamente a sua morte quando as pessoas ao redor concordaram com ela; examinei o prognóstico do meu fim, que seria cheio de dor e sofrimento, como quase todo mundo acredita que seja a morte, e tentei desviar o olhar.

38

Devido às acusações criminais contra Denny, foi concedida aos Gêmeos uma ordem de proteção judicial; por causa disso, enquanto durou a disputa no tribunal, Denny não pôde ver Zoë de forma alguma durante vários meses. Minutos após a prisão de Denny, Maxwell e Trish entraram com uma petição para acabar com o direito de Denny a qualquer tipo de custódia, uma vez que estava claro que era um pai inadequado. Um pedófilo. Um agressor sexual.

Tudo bem. Todos nós jogamos obedecendo às mesmas regras; só que algumas pessoas passam mais tempo lendo essas regras e imaginando como fazer para que elas revertam em benefício próprio.

Assisti a filmes que envolviam crianças seqüestradas, e a dor e o terror que sufocam os pais quando suas crianças são levadas por estranhos. Denny sentia esse tipo de dor, e, à minha maneira, eu também. Nós sabíamos onde Zoë estava. Sabíamos quem a tinha levado. E, mesmo assim, nada podíamos fazer.

Mark Fein sugeriu que seria um gesto incendiário contar a Zoë sobre os procedimentos legais, e aconselhou Denny a inventar uma história sobre corridas automobilísticas na Europa para explicar sua ausência prolongada. Mark Fein também negociou uma troca de cartas: bilhetes e desenhos feitos por Zoë seriam entregues a Denny; e Denny poderia escrever cartas para sua filha, desde que concordasse que as cartas teriam de passar pela censura dos Gêmeos. Vou dizer uma coisa: todas as superfícies verticais da nossa casa foram decoradas com as maravilhosas obras de arte de Zoë, e foram muitas as longas noites que Denny e eu passamos elaborando as cartas que enviávamos a Zoë, falando das descobertas de Denny nas pistas de corrida européias.

Por mais que desejasse mais iniciativa por parte de Denny, que ele partisse para o ataque contra o *establishment* com ousadia e paixão, eu respeitava sua moderação. Havia muito tempo, Denny admirava o lendário piloto Emerson Fittipaldi. "Emmo", como era chamado pelos colegas, era um campeão de grande estatura e consistência, e era conhecido por seu pragmatismo na pista. Arriscar não é uma boa idéia se o erro lhe custar um choque contra o muro em Indi, com a conseqüente transformação do seu carro em um amontoado de metal que os funcionários da emergência vão lutar para desenredar enquanto sua pele derrete até os ossos por causa das chamas invisíveis da combustão do etanol. Emmo não só não entrava em pânico como nunca se colocava em uma situação que pudesse causá-lo; como Emmo, Denny jamais assumiu riscos desnecessários.

Embora também admirasse e tentasse imitar Emmo, ainda acho que gostaria de pilotar como Ayrton Senna, cheio de energia e ousadia. Por mim, teríamos colocado nossas coisas no BMW, teríamos passado pela escola de Zoë para pegá-la sem avisar e então teríamos ido direto para o Canadá. De Vancouver, poderíamos ir para o leste, em direção a Montreal — onde eles têm muitas pistas maravilhosas e onde acontece todos os anos no verão o Grande Prêmio de Fórmula 1 —, para viver em paz pelo resto de nossas vidas.

Mas a escolha não era minha. Não era eu quem estava atrás do volante. Ninguém dava a mínima para mim. E foi por isso que todo mundo entrou em pânico quando Zoë pediu aos avós que queria me ver. Para você ver, ninguém havia levado em consideração o meu paradeiro. Os Gêmeos, sem saber onde seu elaborado plano fictício havia me colocado, telefonaram imediatamente para Mark Fein, que telefonou imediatamente para Denny a fim de encontrar uma saída para essa situação de emergência.

— Ela está acreditando em tudo — eu podia ouvir Mark gritar ao telefone, apesar de o fone estar pressionado contra a orelha de Denny. — Então, onde é que você deixa o maldito cachorro? É claro que ele poderia ter ido com você, mas existem leis para o transporte de animais! Ela sabe alguma coisa a respeito disso?

— Diga a ela que pode ver Enzo sem problemas — Denny respondeu calmamente. — Enzo está com Mike e Tony enquanto estou na Europa; Zoë gosta deles, e vai acreditar nisso. Vou pedir a Mike que leve o Enzo no sábado.

E foi isso o que aconteceu. No começo da tarde, Mike veio me pegar e me levou para Mercer Island, e eu passei a tarde brincando com Zoë no gramado. Antes do jantar, Mike me levou de volta para Denny.

— Como ela estava? — Denny perguntou a Mike.

— Estava ótima — Mike falou. — Ela tem o sorriso da mãe.

— Eles se divertiram juntos?

— Muito. Brincaram o dia todo.

— De pegar? — Denny perguntou, sedento por detalhes. — Ela usou o *chuckit*? Ou brincaram de correr? Eve nunca gostou de que eles brincassem de correr.

— Não, brincaram mais de pegar — Mike contou gentilmente.

— Nunca me importei que brincassem de correr porque conheço o Enzo, mas Eve estava sempre...

— Você sabe — Mike explicou —, às vezes eles apenas se atiravam na grama e rolavam juntos. Foi realmente algo muito doce.

Denny secou o nariz rapidamente.

— Obrigado, Mike. Realmente. Muito obrigado.

— Quando precisar.

Apreciei o esforço de Mike para acalmar Denny, mesmo evitando contar a verdade. Ou talvez Mike não tivesse visto o que eu vi. Talvez não tivesse ouvido o que ouvi. A profunda tristeza de Zoë. Sua solidão. Os planos que sussurrou, sobre como daríamos um jeito de fugir e ir embora para a Europa e encontrar seu pai.

O verão sem Zoë foi muito doloroso para Denny. Além de se sentir afastado de sua filha, sua carreira degringolava: apesar de ter recebido uma oferta para correr novamente na equipe do ano anterior, ele foi obrigado a recusar, pois a ação criminal exigia que ele permanecesse no estado de Washington ou perderia sua fiança. Além disso, ele não pôde aceitar nenhum dos trabalhos lucrativos como professor e as ofertas para comerciais que cruzavam seu caminho — depois da experiência espetacular em Thunderhill, ele passou a ser altamente recomendado pela indústria da publicidade e freqüentemente recebia ofertas pelo telefone. Esses trabalhos eram quase sempre realizados na Califórnia, às vezes no Texas e em Nevada, outras vezes em Connecticut, e por isso estavam proibidos para ele. Ele era um prisioneiro do estado.

Que fosse.

Todos nós temos uma existência física que nos permite aprender a respeito de nós mesmos. Por isso entendo por que Denny, em um nível mais profundo, permitiu que essa situação se abatesse sobre ele. Não digo que tenha criado a situação, mas *permitiu* sua existência. Porque ele precisava testar sua coragem. Ele queria saber por quanto tempo conseguiria manter o pé no acelerador antes de tirá-lo de lá. Ele escolheu esta vida, e dessa maneira escolheu essa luta.

Percebi, enquanto o verão transcorria e eu fazia minhas visitas a Zoë sem Denny, que eu também fazia parte disso. Era parte integrante do drama. Porque, no final daquelas tardes de sábado de julho, depois que Mike relatava os acontecimentos do dia para Denny, e voltava para o próprio mundo, Denny ficava sentado comigo na varanda dos fundos, fazendo perguntas.

— Vocês brincaram de pegar? De cabo-de-guerra? De correr? — ele perguntava. — Vocês se abraçaram? — ele perguntava. — Como ela estava? Está comendo bastante fruta? Eles compram produtos orgânicos?

Eu tentava. Tentava ao máximo formar as palavras para ele, mas elas não vinham. Tentava transmitir meus pensamentos para a cabeça dele por telepatia. Tentava enviar as imagens que via em minha cabeça. Eu virava as orelhas. Inclinava a cabeça. Balançava. Arranhava com a pata.

Até que ele sorria e ficava em pé.

— Obrigado, Enzo — ele dizia nesses dias. — Você não está muito cansado, está?

Eu ficava de quatro e balançava o rabo. Nunca estou muito cansado.

— Então, vamos.

Ele pegava o *chuckit* e a bola de tênis, e íamos caminhando até o Blue Dog Park, e brincávamos de pegar até a luz ficar fraca e os mosquitos saírem de seu esconderijo, sedentos pelo jantar.

39

Houve uma ocasião naquele verão em que Denny conseguiu umas aulas em Spokane e, por intermédio de Mike, nosso falso agente de conexão internacional, perguntou aos Gêmeos se poderiam ficar comigo no fim de semana; eles concordaram, pois haviam se acostumado com a minha presença em sua casa e eu sempre me comportei com o máximo de dignidade quando estava perto deles; nunca sujei os tapetes caros ou o carpete, nunca supliquei por comida e nunca babei enquanto dormia.

Eu bem que preferiria ter ido com Denny para a escola de pilotagem, mas compreendia que ele precisava de mim para tomar conta de Zoë, e também para agir como uma espécie de testemunha a seu favor. Apesar de não poder passar para ele os detalhes das minhas visitas, minha presença, eu acho, o acalmava de alguma maneira.

Em uma tarde de sexta, fui levado por Mike para o carinho de Zoë. Fomos imediatamente para o quarto dela e brincamos de fantasia; eu era obrigado a usar roupas malucas, contudo era divertido. Sabia que era o bobo da corte no reino de Zoë, contudo estava feliz em representar o papel.

Naquela noite, Maxwell me levou mais cedo lá fora, insistindo para que eu me apressasse. Quando voltamos para dentro, fui levado para o quarto de Zoë, onde já haviam colocado minha cama. Aparentemente, ela havia pedido para que eu dormisse em seu quarto em vez de perto da porta dos fundos ou, que Deus não permita, na garagem. Enrolei-me como uma bola e peguei rapidamente no sono.

Pouco depois, acordei. Havia uma luz fraca. Zoë estava acordada e animada, cercando minha cama com um monte de bichinhos de pelúcia.

— Eles vão lhe fazer companhia — ela sussurrou para mim enquanto me cercava.

Parecia haver centenas deles. Todas as formas e tamanhos. Eu estava sendo cercado por ursinhos e girafas, tubarões e cachorros, gatos, passarinhos e cobras. Ela trabalhou incansavelmente e eu fiquei olhando, até ser transformado em nada mais do que um pequeno atol no Pacífico, sendo os animais meus recifes de corais. Achei engraçado e tocante que Zoë dividisse seus bichinhos comigo daquele jeito, e voltei a pegar no sono me sentindo protegido e seguro.

Acordei mais tarde naquela noite e vi que a parede de animais ao meu redor era bem alta. Ainda assim, consegui mudar de posição para ficar mais confortável. Mas, quando fiz isso, levei um susto com uma visão apavorante. Um dos bichos. O que estava em cima. Olhando direto para mim. Era a zebra.

A zebra substituta. A que ela havia escolhido para substituir o demônio que havia se desmanchado na minha frente tanto tempo atrás. A zebra horrorosa do meu passado.

O demônio tinha voltado. E, apesar da escuridão do quarto, sei que vi um estranho brilho em seus olhos.

Como você pode imaginar, meu sono daquela noite foi inconstante. A última coisa que eu queria era acordar em meio a uma carnificina animal porque o demônio havia voltado. Eu me forcei a ficar acordado; mas não conseguia evitar a sonolência. Cada vez que abria os olhos, via a zebra olhando para mim. Como uma gárgula, ela estava em uma torre de animais acima de mim, observando. Os outros bichos não tinham vida; eram brinquedos. Só a zebra sabia.

Passei o dia sentindo uma grande apatia, porém me esforcei para agüentar, e tentei recuperar o sono tirando uma soneca. Quem quer que observasse, tenho certeza de que teria a impressão de que eu estava bastante satisfeito; contudo, estava ansioso em relação ao cair da noite, preocupado com a zebra de novo, que ela me torturasse com seus olhos zombeteiros.

Naquela tarde, enquanto os Gêmeos tomavam suas bebidas na varanda, como costumavam fazer, e Zoë assistia à televisão na sala de TV, fiquei deitado lá fora, no sol. E ouvi o que eles falaram.

— Eu sei que é o melhor — Trish falou. — Mas, ainda assim, eu me sinto péssima por causa dele.

— É melhor assim — Maxwell falou.

— Eu sei. Mesmo assim...

— Ele se insinuou para cima de uma adolescente — Maxwell comentou secamente. — Que tipo de pai ataca garotas inocentes?

Levantei a cabeça da madeira quente da varanda e vi Trish balançar a cabeça.

— O quê? — Maxwell questionou.

— Pelo que sei, ela não é tão inocente.

— O que é que você sabe? Ele se insinuou para cima de uma adolescente. Isso é *estupro*!

— Eu sei, eu sei. É que o momento em que ela revelou essa história é... uma grande coincidência.

— Está sugerindo que ela inventou tudo?

— Não — Trish respondeu. — Mas por que Pete deixou para nos falar a respeito disso somente depois de você ter reclamado de que tinha certeza de que não conseguiríamos a custódia de Zoë?

— Não me importo com nada disso — Maxwell respondeu, fazendo um gesto com o braço. — Ele não era bom o bastante para Eve, e não é bom o bastante para Zoë. E, se é idiota o bastante para ser pego com a calça abaixada e o membro na mão, pode ter certeza de que vou aproveitar esse momento. Zoë terá uma infância melhor conosco. Terá uma formação moral muito melhor, melhores condições financeiras, uma vida familiar muito melhor, e você sabe disso, Trish. Você sabe!

— Eu sei, eu sei — ela concordou, e tomou sua bebida cor de âmbar com a cereja vermelha no fundo do copo. — Mas ele não é má pessoa.

Maxwell engoliu sua bebida e colocou o copo com força sobre a mesa.

— Está na hora de começar o jantar — ele falou, e entrou.

Eu estava atônito. Também havia reparado na coincidência dos acontecimentos, e estava desconfiado desde o começo. Mas ouvir aquelas palavras, a frieza na voz de Maxwell...

Imagine isto. Imagine que sua mulher morreu de repente de câncer no cérebro. Então imagine que os pais dela o atacam sem piedade para obter a custódia da sua filha. Imagine que eles se aproveitam de acusações de abuso sexual contra você; eles contratam advogados que cobram muito caro e são inteligentes porque têm muito mais dinheiro do que você. Imagine que eles impeçam que você tenha qualquer contato com sua filha de 6 anos durante meses a fio. E imagine que eles limitem sua capacidade de ganhar dinheiro para que você se sustente e, é claro, como era de esperar, sua filha. Quanto tempo você acha que agüenta até sua determinação se esgotar?

Eles não sabiam com quem estavam lidando. Denny não iria se ajoelhar diante deles. Ele jamais desistiria; jamais sucumbiria.

Desgostoso, eu os segui até dentro de casa. Trish começou a preparar o jantar e Maxwell pegou seu pote com salaminho da geladeira;

dentro de mim, fervilhava uma coisa negra. Ardilosos. Manipuladores. Eu não os considerava mais como pessoas. Eles agora eram os Gêmeos Malignos. Malignos, horríveis, seres vis que se entupiam de salaminhos apimentados para alimentar a bile de seus estômagos. Quando riam, expeliam chamas pelo nariz. Eles não mereciam viver, essas pessoas. Eram criaturas repulsivas, formas de vida à base de nitrogênio que viviam nos cantos mais sombrios dos lagos mais sombrios onde não existe luz e a pressão da atmosfera do ambiente ata tudo à lama; lugares profundos, escuros, onde o oxigênio não se atrevia a chegar.

Minha raiva dos Gêmeos Malignos alimentava minha sede de vingança. Eu não podia deixar de usar meus atributos de cachorro para fazer justiça.

Coloquei-me na frente de Maxwell quando ele pôs outro pedaço de salaminho na boca e o triturou com os dentes de cerâmica que costumava tirar à noite para dormir. Sentei e ergui a pata.

— Quer uma coisa gostosa? — ele me perguntou, surpreso com meu gesto.

Eu lati.

— Aqui está, garoto.

Ele tirou um salaminho do pote e o segurou diante do meu nariz. Era um pedaço bem grande, comprido, colorido artificialmente e com cheiro de sulfatos e nitratos. O aperitivo do demônio.

— Não acho que essas coisas sejam boas para um cachorro — Trish comentou.

— Ele gosta — disse Maxwell.

Meu primeiro pensamento foi pegar o salaminho junto com alguns dos dedos de Maxwell. Entretanto isso realmente causaria uma grande encrenca e é bem provável que Mike me encontrasse morto quando viesse me buscar, portanto não peguei os dedos de Maxwell. Mas peguei o salaminho. Sabia que não era uma coisa boa, que eu me sentiria mal imediatamente. Contudo também sabia que o mal-estar passaria, e só pensei nos efeitos desagradáveis, que era o que eu queria. Afinal, sou apenas um cachorro idiota, que não merece sequer o desprezo humano, sem cérebro para me responsabilizar pelas minhas próprias funções físicas. Um cachorro estúpido.

Observei o jantar atentamente porque queria ver por mim mesmo. Os Gêmeos serviram a Zoë uma espécie de frango coberto com um molho cremoso. Eles não sabiam que, apesar de gostar de pedaços de frango, ela nunca os comia com molho, e certamente nunca com molho cremoso; ela não gostou da consistência. Como não comeu as ervilhas-tortas que serviram, Trish perguntou se ela gostaria de comer uma banana. Zoë respondeu que sim e Trish fatiou uma banana, que Zoë sequer tocou porque estava mal cortada, com umas manchas marrons, que ela sempre evitava. (Quando Denny preparava as bananas, tomava cuidado para fatiá-las de maneira uniforme depois de ter removido todos os pontos marrons que encontrasse.)

E aqueles agentes do mal — que se faziam passar por avós! — achavam que Zoë estaria melhor com eles! Besteira! Eles não perdiam um minuto pensando em seu bem-estar; após o jantar, nem perguntaram por que não havia comido a banana. Permitiram que saísse da mesa praticamente sem comer. Denny jamais teria permitido uma coisa dessas. Ele teria preparado alguma coisa de que ela gostasse e teria exigido que comesse o suficiente para continuar a crescer de maneira saudável.

Fiquei observando o tempo todo. Em meu estômago ia se formando um bolo asqueroso.

Quando chegou a hora de me levarem para fora naquela noite, Maxwell abriu a porta que dava para a varanda dos fundos e começou sua ladainha idiota:

— Vá fazer seu serviço, garoto. Vá fazer seu serviço.

Não saí. Ergui os olhos para ele e pensei no que ele estava fazendo, em como destruía nossa família, desmanchando o tecido da nossa vida para satisfazer sua presunção, seus propósitos de regozijo pessoal. Pensei em como ele e Trish eram guardiões muitíssimo medíocres para minha Zoë. Agachei-me exatamente onde estava, dentro da casa, e expeli a diarréia mais pungente, massiva e pastosa em seu lindo e caro carpete cor de linho.

— Mas que diabos...?! — ele gritou para mim. — Que cachorro mau!

Virei-me e fui trotando alegremente para o quarto de Zoë.

— Faça o seu serviço, seu filho-da-puta — falei ao sair. Mas é claro que ele não escutou.

Enquanto me ajeitava em meu atol de bichinhos de pelúcia, ouvi Maxwell reclamar em voz alta e dizer a Trish para limpar minha sujeira. Olhei para a zebra, ainda empoleirada em seu trono de carcaças de animais sem vida, e rosnei baixinho, porém ameaçadoramente. E o demônio soube. O demônio soube que não deveria mexer comigo naquela noite.

Naquela noite, e nunca mais.

40

Ah, o descanso de setembro!

As férias chegaram ao fim. Os advogados voltaram para o trabalho. As cortes estavam com a equipe completa. Os adiamentos estavam encerrados. A verdade apareceria!

Ele saiu naquela manhã vestindo o único terno que possuía, duas peças cáqui amassadas da Banana Republic, e uma gravata escura. Sua aparência estava muito boa.

— Mike vai passar por aqui na hora do almoço e levar você pra passear — ele me informou. — Não sei quanto tempo isto vai demorar.

Mike chegou e fizemos um passeio rápido pela vizinhança para eu não me sentir sozinho, e depois foi embora. Denny voltou antes do fim da tarde. Chegou sorrindo para mim.

— Será que preciso apresentar vocês dois novamente? — ele perguntou.

E atrás dele estava Zoë!

Pulei no ar. Pulei várias vezes. Eu *sabia*! Eu *sabia* que Denny venceria os Gêmeos Malignos! Senti vontade de voar. Zoë tinha voltado!

Foi uma tarde maravilhosa. Nós brincamos no jardim. Corremos e rimos. Nós nos abraçamos e rolamos. Fizemos o jantar juntos e nos sentamos à mesa e comemos. Era tão bom estarmos juntos novamente! Depois do jantar, eles tomaram sorvete na cozinha.

— Você pretende voltar para a Europa? — Zoë perguntou do nada.

Denny gelou. A história tinha colado de tal maneira, que Zoë ainda estava acreditando. Ele se sentou na frente dela.

— Não, eu não vou voltar para a Europa.

O rosto de Zoë se iluminou.

— Oba! Vou poder voltar para o meu quarto!

— Na verdade — Denny continuou —, acho que não.

Ela enrugou a testa e cerrou os lábios, enquanto tentava entender o que ele dissera. Eu também não entendi.

— Por que não? — ela perguntou finalmente, revelando a frustração na voz. — Quero voltar pra casa.

— Eu sei, querida, mas os advogados e juízes precisam decidir onde você vai morar. Faz parte do que acontece quando a mamãe de alguém morre.

— Então *fale* com eles — ela exigiu. — Simplesmente *diga* a eles que estou voltando pra casa. Não quero mais morar lá. Eu quero viver com você e com Enzo.

— É um pouco mais complicado do que isso.

— *Fale* com eles — ela repetiu irritada. — *Fale* com eles!

— Zoë, alguém me acusou de ter feito uma coisa muito ruim...

— *Fale* com eles.

— Alguém disse que eu fiz uma coisa muito ruim. E, mesmo sabendo que não fiz, agora tenho de ir aos tribunais para provar a todo mundo que não fiz.

Zoë pensou um pouco.

— Foi a vovó ou o vovô? — ela perguntou.

Fiquei muito impressionado com a exatidão da sua pergunta.

— Não... — Denny começou a falar. — Não, não, não foram eles. Mas... eles estão *sabendo*.

— Fiz com que eles me amassem demais — Zoë disse suavemente, olhando para sua taça de sorvete derretido. — Devia ter sido má. Eu devia ter feito com que eles não quisessem ficar comigo.

— Não, querida, não — Denny argumentou, consternado. — Não diga isso. Você deve brilhar com toda a sua luz durante todo o tempo. Eu vou resolver isso. Prometo.

Zoë balançou a cabeça sem olhá-lo nos olhos. Percebendo que a conversa estava encerrada, Denny pegou sua taça e começou a lavar os pratos. Fiquei chateado por eles, mais por Zoë, que continuava a enfrentar situações determinadas por sutilezas que iam além da sua experiência e que carregavam os desejos conflitantes daqueles que a cercavam, lutando pela supremacia como as vinhas enroscadas nas treliças. Triste, ela foi para seu quarto brincar com os bichinhos que haviam ficado ali.

Mais tarde, a campainha tocou. Denny foi atender. Era Mark Fein.

— Está na hora — ele informou.

Denny anuiu com a cabeça e chamou Zoë.

— Esta foi uma grande vitória para nós, Dennis — Mark falou. — Significa muito. Você entende isso, não é?

Denny fez que sim, mas estava triste. Como Zoë.

— Em fins de semana alternados, da tarde de sexta depois da escola até o domingo após o jantar, ela é sua — disse Mark. — E todas as quartas você a pega depois da escola e a devolve antes das oito da noite, certo?

— Certo.

Mark Fein olhou para Denny por um bom tempo sem falar.

— Estou muito orgulhoso de você — ele concluiu finalmente. — Não sei o que se passa na sua cabeça, mas você é um lutador.

Denny respirou profundamente.

— Isso eu sou mesmo.

E Mark Fein levou Zoë embora. Ela tinha acabado de voltar e já estava indo embora de novo. Levei algum tempo para entender a situação, mas descobri o que acontecia: a audiência daquele dia no tribunal não envolvia a acusação criminal contra Denny, mas o processo pela custódia, processo que vinha sendo adiado por vários meses para que os advogados pudessem viajar para Lopez Island com suas próprias famílias e o juiz para seu rancho em Cle Elum. Eu me senti traído! Sabia que essas pessoas, esses oficiais dos tribunais, nada compreendiam dos sentimentos que eu havia testemunhado naquela noite à mesa do jantar. Se soubessem, teriam parado tudo, teriam cancelado todas as outras obrigações, e garantido uma solução rápida para a nossa situação.

E foi isso, aquele havia sido apenas o primeiro passo. A ordem de proteção judicial havia sido revogada. Denny havia conquistado direitos de visita. Mas Zoë ainda estava sob a custódia dos Gêmeos Malignos. Denny ainda estava respondendo a um processo criminal que não merecia. Nada havia sido resolvido.

Que fosse. Eu tinha visto os dois juntos. Tinha visto os dois se olharem e sorrirem com alívio. O que reafirmava a minha fé no equilíbrio do Universo. E, apesar de entender que tínhamos apenas completado com sucesso a primeira volta de uma corrida muito longa, senti um prenúncio de que as coisas iriam dar certo para nós; Denny não era de cometer erros, e, com pneus novos e um tanque cheio de combustível, ele iria mostrar que era um fabuloso adversário para quem quer que o desafiasse.

41

A rapidez e a agressividade de uma corrida de velocidade são imensas. As estratégias e o conhecimento envolvidos em uma corrida de 900 quilômetros são espetaculares. Mas, para o verdadeiro piloto, corrida mesmo é o enduro. Oito horas, doze horas. Vinte e quatro horas. Mesmo vinte e cinco. Eu lhes apresento um dos nomes esquecidos na história do automobilismo: Luigi Chinetti.

Chinetti era um piloto incansável, que participou de todas as corridas realizadas em Le Mans de 1932 a 1953. Ele é conhecido principalmente por ter conquistado a primeira vitória da Ferrari nas 24 Horas de Le Mans, em 1949. Durante vinte minutos, ele cedeu o controle do carro para seu co-piloto, Peter Mitchell-Thompson, proprietário do carro, um barão da Escócia. Só isso. Chinetti pilotou a corrida inteira das 24 Horas, exceto pelos vinte minutos. E venceu.

Piloto brilhante, mecânico e homem de negócios, Luigi Chinetti depois convenceu a Ferrari a vender seus carros nos Estados Unidos, e os convenceu a dar a ele a primeira — e, durante muitos anos, a única — concessionária Ferrari do país. Ele vendeu os carros vermelhos caríssimos para gente muito rica, e eles pagavam caro para ter seus brinquedos. Chinetti sempre manteve em segredo sua lista com o nome dos clientes, evitando chamar a atenção para o consumo extravagante.

Grande homem, Luigi Chinetti. Esperto e inteligente e astucioso. Morreu em 1994 aos 93 anos. Fico imaginando quem poderá ser ele agora, quem possui seu espírito. Uma criança tem conhecimento do seu passado espiritual, do próprio *pedigree*? Duvido. Entretanto, em algum lugar, uma criança se surpreende com a própria resistência, sua mente ágil, suas mãos habilidosas. Em algum lugar, uma criança realiza com facilidade o que normalmente exige grande esforço. E essa criança, inconsciente em relação ao seu passado, mas cujo coração ainda bate com a emoção das corridas, tem a alma desperta.

E um novo campeão caminha entre nós.

42

Muito depressa.

Um ano passa muito depressa, como uma migalha de alimento sendo abocanhada pela voracidade da eternidade.

Muito depressa.

Sem muito drama, falando comparativamente, pontuando os meses, eles passaram, um a um, até chegar mais um outono. Ainda assim, quase nada havia mudado. Para a frente e para trás, ciclicamente, os advogados dançavam e faziam seu jogo, que para eles era apenas um jogo. Mas não para nós.

Denny pegou Zoë de acordo com o esquema acertado, um fim de semana a cada quinze dias, todas as quartas-feiras. Ele a levou a lugares culturalmente ricos. Museus de arte. Exposições científicas. Ao zoológico e ao aquário. Ensinou-lhe coisas. E, às vezes, em missões secretas, ele nos levava para andar de carte.

Ah. Os cartes elétricos. Ela já tinha tamanho suficiente quando ele a levou. E ela era boa. Entendeu os cartes imediatamente, como se tivesse nascido para aquilo. Era rápida.

Muito rápida.

Sem precisar de muitas instruções, sentou-se atrás do volante, enfiou o cabelo dourado em um capacete, prendeu o cinto de segurança e saiu. Sem medo. Sem hesitação. Sem esperar.

— Você costuma levá-la até Spanaway? — perguntou o garoto que trabalhava ali, depois que Zoë partiu.

Spanaway era um lugar ao sul de onde morávamos, onde crianças faziam um curso e praticavam carte com freqüência.

— Não — Denny respondeu.

— Porque ela poderia lhe dar um chute na bunda — disse o garoto.

— Duvido — Denny riu.

O garoto olhou ansiosamente para o relógio. Olhou através da parede de vidro para as pessoas do caixa. Estávamos no meio da tarde, depois da corrida da hora do almoço e antes que começassem a chegar os clientes da noite. O lugar estava vazio, exceto por nós; eles só me deixavam entrar porque eu já tinha estado lá antes e nunca havia criado problemas.

— Então aproveite uma sessão — disse o garoto. — Se ela ganhar, você paga. Se você ganhar, não precisa pagar.

— Fechado — Denny falou, pegando um capacete da prateleira cheia de capacetes usados pelos clientes; ele não havia trazido o seu.

Começaram a corrida, fazendo a largada com os carros em movimento, Denny dando a Zoë certa vantagem, sem pressioná-la. Durante várias voltas ele a seguiu como um cãozinho, colado nos pneus traseiros, mostrando-lhe que estava ali. Então ele tentou ultrapassá-la.

E ela bateu a porta na cara dele.

Ele tentou passar de novo. E ela bateu a porta.

De novo. O resultado foi o mesmo. Era como se ela soubesse onde ele estava a cada momento. Em um carte sem retrovisores. Usando um capacete que não permitia nenhuma visão periférica. Ela o *sentia*. Ela o *conhecia*.

Quando tentava, ela o impedia. Cada uma das vezes.

Consideremos que ela tinha uma tremenda vantagem, se levarmos em conta seu peso em relação ao dele. Vinte e sete quilos contra 68 — no carte é uma diferença de peso gigantesca. Ainda assim. Consideremos que ele era um piloto semiprofissional de 38 anos, enquanto ela era uma novata de 7. Consideremos as possibilidades.

Ela dominou o jogo, que Deus abençoe sua pequena alma. Ela dominou o jogo e venceu o seu velho. E eu fiquei tão feliz. Fiquei tão feliz que nem me importei de ter de esperar no carro quando paramos no *Andy's Diner* para eles comerem batata frita e tomarem *milk-shake*.

Como foi que Denny havia agüentado todo aquele período de provação? Agüentara porque tinha um segredo. Sua filha era melhor e mais rápida e mais esperta do que ele. Embora os Gêmeos Malignos pudessem limitar suas visitas, quando a *via*, ele recebia toda a energia de que precisava para continuar concentrado em sua meta.

43

— Este não é o tipo de conversa que me agrada — disse Mark Fein, recostando-se na cadeira de ferro até que ela gemesse de cansaço. — Mas ocorre com muita freqüência.

Primavera, de novo. Victrola. Olhos de chocolate.

Deitei aos pés do meu dono na calçada da Fifteenth Avenue, que estava quente como um forno por causa do sol. Deitei e me esparramei, sem sequer me dar ao trabalho de levantar a cabeça quando recebia um carinho dos passantes ocasionais, todos eles, de uma forma ou de outra, desejando estar na minha situação: tirando um cochilo ao sol sem sentimento de culpa, sem preocupação. Mal sabiam eles que, na verdade, eu estava bastante apreensivo, como sempre ficava quando nos encontrávamos com Mark.

— Estou pronto — Denny falou.

— Dinheiro.

Denny concordou com a cabeça e suspirou.

— Tive alguns prejuízos.

— Você me deve muito, Dennis — Mark esclareceu. — Tenho lhe dado uma folga, mas não posso mais continuar com isso.

— Me dê mais uns trinta dias — Denny falou.

— Não posso, amigo.

— Sim, você pode — Denny assegurou com firmeza. — Sim, você pode.

Mark tomou o seu café.

— Eu tenho investigadores. Especialistas em detectores de mentiras. Assistentes jurídicos. Equipe de apoio. Preciso pagar essas pessoas.

— Mark — Denny falou —, estou lhe pedindo um favor. Me dê trinta dias.

— Você vai pagar tudo? — Mark perguntou.

— Trinta dias.

Mark terminou seu café e ficou em pé.

— Está bem. Trinta dias. Nosso próximo encontro será no Café Vita.

— Por que no Café Vita? — Denny perguntou.

— Os meus olhos de chocolate. Eles foram atrás de um prato mais suculento. Ela está no Café Vita, por isso nosso próximo encontro será lá. Desde que você pague sua conta. Trinta dias.

— Vou pagar — Denny falou. — Continue trabalhando.

44

A solução foi apresentada a Denny por Mark Fein: se Denny desistisse de lutar pela guarda de Zoë, o indiciamento seria revogado. Foi o que Mark Fein disse. Simples assim.

É claro que ele estava especulando. Os Gêmeos Malignos não tinham falado claramente, mas, baseado em sua experiência, Mark Fein sabia. Porque a mãe da garota era prima de Trish, fazia parte daquilo. E também porque o advogado deles havia deixado claro nas primeiras audiências que eles não queriam que Denny fosse para a prisão. Eles só queriam que ele fosse indiciado por agressão sexual. Agressores sexuais não conseguem a custódia de suas filhas.

— Eles são muito malévolos — Mark observou. — E são muito bons.

— Tão bons quanto você?

— Ninguém é tão bom quanto eu. Mas eles são muito bons.

A certa altura, Mark chegou a aconselhar Denny a deixar Zoë com os avós, pois eles talvez tivessem melhores condições de lhe dar uma infância confortável, e também pagar por seus estudos, quando isso se tornasse necessário. Além disso, segundo Mark sugeriu, se

Denny não fosse o principal responsável por Zoë, teria melhores condições de aceitar trabalhos como instrutor ou como piloto fora do estado, e também de participar de campeonatos em todo o mundo, se quisesse fazer isso. Ele observou que uma criança precisa do ambiente de um lar estável, que, ele disse, poderia ser garantido com uma única moradia e com uma rotina escolar, de preferência nos subúrbios, ou em uma escola particular de um bairro residencial. Mark garantiu a Denny que acertaria um esquema de visitas bastante flexível. Ele passou bastante tempo tentando convencer Denny de que isso era o certo.

Eu não estava convencido. É claro, entendia que um piloto de corridas precisa ser egoísta. Sucesso com o máximo de empenho em qualquer nível mais elitista requer egoísmo. Mas dizer que Denny deveria colocar as próprias necessidades acima das necessidades de sua família porque o sucesso concomitante em ambos os campos era impossível estava inegavelmente errado. A maioria das pessoas se convence de que é necessário fazer concessões para alcançar determinados objetivos, que não é possível alcançar todos os objetivos e que, portanto, devemos eliminar os menos relevantes, priorizar nossos desejos e nos contentarmos com algo menos grandioso. Mas Denny se recusou a capitular diante desse raciocínio. Ele queria sua filha e queria sua carreira como piloto, e se recusava a desistir de uma coisa pela outra.

Na pista as coisas mudam muito depressa. Eu me lembro de uma corrida de Denny em que fui com ele até a pista e a equipe de mecânicos ficou tomando conta de mim. A assistimos de perto da linha de chegada/partida, e vimos quando, a uma volta do final, Denny passou em terceiro lugar, atrás de outros dois carros. Os três passaram por nós, e, depois de darem a volta para receber a bandeira de chegada, Denny estava sozinho; ele venceu a corrida. Quando lhe perguntaram como fizera para superar dois carros na última volta, ele apenas sorriu e disse que ao ver o juiz erguer um dedo, para mostrar que era a última volta, ele teve um estalo e disse para si mesmo: "Eu vou ganhar esta corrida". Um dos pilotos que estavam à sua frente rodou e saiu da pista; o outro travou as rodas e deu a Denny uma boa abertura para que ele passasse.

— Nunca é tarde demais — Denny disse a Mark. — As coisas mudam.

Verdade. As coisas mudam depressa. E, para provar isso, Denny vendeu nossa casa.

Estávamos sem dinheiro. Eles haviam arrancado tudo. Mark havia ameaçado parar de trabalhar na defesa de Denny. Não havia mais nada que Denny pudesse fazer.

Ele alugou um caminhão e chamou seus amigos, e em um fim de semana naquele verão nós transportamos todas as nossas coisas da casa no Central District para um apartamento de um quarto em Capitol Hill.

Eu adorava a nossa casa. Era pequena, eu sei. Dois quartos e um banheiro. E o quintal era pequeno demais para uma boa corrida. E, às vezes, à noite, os ônibus da rua faziam muito barulho. Mas eu tinha me acostumado com meu lugar na sala no piso de madeira, que era bem quente no inverno, quando o sol entrava por uma fresta da janela. E adorava usar a minha porta de cachorro, que Denny havia instalado para mim, para que eu pudesse sair para o quintal dos fundos à vontade. Costumava sair para a varanda dos fundos em um dia frio e chuvoso, quando Denny estava no trabalho, e ficava sentado, respirando e observando o movimento dos galhos das árvores, sentindo o cheiro da chuva.

Mas isso não aconteceria mais. Estava acabado. A partir daquele momento eu passaria meus dias em um apartamento acarpetado que cheirava a produtos de limpeza, com janelas fechadas que não permitiam uma ventilação adequada e uma geladeira que fazia muito barulho e parecia trabalhar além de sua capacidade a fim de manter os alimentos frios. E sem TV a cabo.

Ainda assim, tentei ajeitar as coisas da melhor maneira possível. Eu me espremi no canto entre o braço do sofá e a porta de correr de vidro que abria para uma sacada tão pequena que nem poderia ser considerada uma sacada, e, se me esticasse bastante, conseguia ver através dos edifícios do outro lado da rua, por uma fresta muito estreita, o Space Needle com seus pequenos elevadores de bronze transportando incansavelmente os visitantes do chão até o céu, e trazendo-os de volta.

45

Denny acertou as contas com Mark Fein. Pouco tempo depois, Mark Fein foi nomeado juiz, algo a respeito do qual sei pouca coisa, exceto que é uma designação para o resto da vida, de muito prestígio, e irrecusável. Denny encontrou um novo advogado que não marcava encontros no Café Vita ou no Victrola Coffee porque não se importava com garotas com *piercing* na sobrancelha e olhos de chocolate. Enquanto Mark Fein era a personificação da letra B, este novo advogado era um tipo letra L. Dr. Lawrence. Lacônico, lento, lúgubre... Mark tinha fagulha e fogo. Este tinha orelhas grandes.

Este pediu um adiamento do processo, algo que se pode fazer no mundo legal se você precisa de tempo para ler toda a papelada. E, apesar de entender que isso era necessário, eu ainda estava preocupado. Mark Fein se comportava com a energia de uma pessoa que já havia ganho o jogo e estava apenas aguardando educadamente até que você terminasse de contar as fichas e percebesse que havia perdido. O dr. Lawrence podia ser muito capaz, mas comportava-se mais como um cão de caça sem a caça: um olhar do tipo "avise quando você estiver pronto" no rosto melancólico. Por isso, apesar de parecer que estávamos nos aproximando do acerto de contas, de repente o horizonte sumiu da nossa frente e ficamos, de novo, à espera de que as engrenagens legais voltassem a funcionar, e voltaram, mas extremamente devagar.

Pouco depois de Denny ter começado a trabalhar com seu novo representante, recebemos mais notícias ruins. Os Gêmeos Malignos estavam processando Denny para obter uma pensão alimentícia.

Vis, foi assim que Mark Fein os descreveu. Então, agora, além de terem tirado sua filha, eles exigiam que pagasse pela comida que davam a ela?

O dr. Lawrence defendeu a ação deles como uma tática legítima, por mais cruel que pudesse parecer. Ele apresentou a Denny a seguinte questão:

— Os fins sempre justificam os meios?

E então ele mesmo respondeu:

— Aparentemente, para eles, a resposta é sim.

Eu tenho um amigo imaginário. Eu o chamo de Rei Carma. Sei que o carma é uma força deste Universo, e que pessoas como os Gêmeos Malignos receberão a justiça cármica por suas ações. Sei que essa justiça virá quando o Universo considerar apropriado, e pode não ser nesta vida e sim na próxima, ou em outra depois dela. A atual consciência dos Gêmeos Malignos talvez nunca sinta o peso do carma, mas suas almas certamente sentirão. É assim que entendo as coisas.

No entanto, não gosto. E por isso o meu amigo imaginário faz coisas para mim. Se você for mau para alguém, o Rei Carma irá descer do céu e xingar você. Se você chutar alguém, o Rei Carma vai aparecer e chutar você. Se você for vil e cruel, o Rei Carma vai encontrar uma punição adequada para você.

À noite, antes de dormir, converso com meu amigo imaginário e o mando atrás dos Gêmeos Malignos, e ele faz sua justiça. Pode não ser muito, mas é o que posso fazer. Todas as noites, o Rei Carma lhes dá sonhos muito ruins, nos quais são perseguidos implacavelmente por cachorros selvagens até acordarem de repente, incapazes de pegar no sono novamente.

46

Foi um inverno particularmente difícil para mim. Talvez fossem as escadas do prédio do nosso apartamento. Ou talvez fosse minha deficiência genética tomando conta de mim. Ou talvez eu só estivesse cansado de ser um cachorro.

Desejava havia tanto tempo abandonar este corpo, me livrar dele. Passava meus dias solitários e sem alegria observando as pessoas que caminhavam pela rua lá embaixo, indo para algum lugar, todas com um destino importante. E eu? Incapaz de destrancar a porta e ir ao encontro delas. E, mesmo que o conseguisse, eu tinha língua de cachorro e por isso teria sido impossível conversar com elas. Impossível cumprimentá-las com um aperto de mão. Como eu gostaria de falar com essas pessoas! Como eu gostaria de me misturar a elas na vida! Queria participar, não apenas observar; queria julgar o mundo ao meu redor, e não ser apenas um amigo que dá apoio.

Fazendo uma retrospectiva, posso dizer que era esse meu estado de espírito, era essa minha perspectiva de mundo, o que me atraiu para aquele carro e que atraiu o carro para mim. O que desejamos já está à nossa frente.

Estávamos voltando do Volunteer Park tarde da noite, depois de ter estendido nosso passeio habitual por causa do tempo. Não estava muito frio nem muito quente, soprava uma brisa leve, e caía um pouco de neve do céu. Eu me lembro de que estava me sentindo inquieto por causa da neve. Seattle é chuva. Chuva quente e chuva fria; Seattle é chuva. Seattle não é neve. Seattle tem colinas demais para poder tolerar a neve. E ainda assim estava nevando.

Denny sempre me deixava voltar do parque sem a coleira, e nessa noite eu me afastei muito dele. Olhava os flocos caírem e se juntarem numa fina camada sobre a calçada e na rua, mais à frente, na Tenth Avenue, que não tinha carros nem gente.

— Ei, Zo! — ele chamou. Assobiou para mim seu assobio agudo.

Eu ergui os olhos. Ele estava do outro lado da Aloha. Devia ter atravessado sem que eu percebesse.

— Venha pra cá, garoto!

Ele bateu na coxa e, sentindo-me afastado dele, sentindo que de alguma maneira havia um mundo entre nós, e não apenas uma rua de duas pistas, saí atrás dele pela rua.

De repente, ele gritou:

— Não! Espere!

Os pneus não fizeram barulho, como de costume. O piso estava coberto por uma pequena camada de neve. Houve um barulho abafado. Silencioso. E então o carro me pegou.

Que coisa idiota, pensei. Como sou idiota. Sou o cachorro mais idiota do planeta, e tenho a audácia de sonhar em me tornar um homem? Eu sou um idiota.

— Fique quieto, garoto.

Senti as mãos dele em mim. Quentes.

— Eu não vi...

— Eu sei.

— Ele disparou...

— Eu entendo. Eu vi tudo.

Denny me levantou. Denny me segurou no colo.

— O que é que eu posso fazer?

— Estou a alguns quarteirões de casa. Ele é muito pesado para carregar. Será que pode me levar?

— Claro, mas...

— Você tentou parar. A rua está coberta de neve.

— Nunca atropelei um cão antes.

— Você só bateu de raspão.

— Estou apavorado...

— Ele está mais assustado do que qualquer outra coisa.

— Nunca atropelei...

— O que aconteceu não importa — Denny falou. — Vamos pensar no que vai acontecer agora. Entre no carro.

— Sim — disse o rapaz. Ele era apenas um garoto. Um adolescente. — Para onde devo ir?

— Está tudo bem — Denny falou, entrando no banco traseiro comigo no colo. — Respire fundo e vamos indo.

47

Ayrton Senna não devia ter morrido.

Isso me ocorreu de repente, enquanto estava deitado, gemendo de dor, no banco traseiro do carro de Denny, a caminho do hospital de animais naquela noite. Eu me lembrei do circuito do Grande Prêmio, na cidade de Ímola. Da curva Tamburello. Senna não devia ter morrido. Ele poderia ter ido embora.

No sábado, um dia antes da corrida, Rubens Barrichello, amigo e protegido de Senna, ficou seriamente ferido em um acidente. Outro piloto, Roland Ratzenberger, morreu durante uma sessão de treinos. Senna estava muito contrariado com as condições de segurança da pista. Ele passou o domingo, manhã da corrida, reunindo os pilotos para formar um novo grupo de segurança entre eles; Senna foi eleito o chefe do grupo.

As pessoas dizem que ele tinha tantas dúvidas em relação à corrida, o Grande Prêmio de San Marino, que pensou seriamente em se aposentar como piloto no domingo de manhã. Ele quase desistiu. Ele quase foi embora.

Mas não foi. Ele correu, naquele fatídico primeiro dia de maio em 1994. E, quando seu carro não conseguiu contornar a lendária curva Tamburello, conhecida pela velocidade e perigo excessivos, seu carro saiu da pista a quase 300 quilômetros por hora e bateu no muro de concreto; ele morreu instantaneamente porque uma peça da suspensão perfurou seu capacete.

Ou morreu no helicóptero a caminho do hospital.

Ou morreu na pista, depois que o tiraram das ferragens.

Ayrton Senna foi um enigma, tanto em vida quanto na morte.

Até hoje sua morte é cercada de grande controvérsia. As imagens da câmera que estava dentro do carro desapareceram misteriosamente. Os políticos da Federação Internacional de Automobilismo interferiram no assunto. É verdade que, na Itália, se um piloto morre na pista, a morte é investigada imediatamente e a corrida é encerrada. É verdade que, se a corrida fosse encerrada dessa maneira, a FIA, seus patrocinadores, a pista, as redes de televisão, todos perderiam milhões de dólares. O comércio seria afetado. Ao passo que, se esse mesmo piloto morre em um helicóptero, por exemplo, a caminho do hospital, a corrida pode continuar.

Também é verdade que o primeiro homem a chegar perto de Senna após o acidente, Sidney Watkins, disse:

— Nós o tiramos do *cockpit* e o colocamos no chão. Quando fizemos isso, ele suspirou e, apesar de ser completamente agnóstico, senti que sua alma partiu naquele momento.

Qual será a verdade em relação à morte de Ayrton Senna, que tinha apenas 34 anos de idade?

Eu sei qual é a verdade, e vou dizer agora.

Ele tinha muitos fãs, era admirado, amado, considerado, respeitado. Tanto na vida quanto na morte. Um grande homem, ele é. Um grande homem, ele foi. Um grande homem, ele será.

Ele morreu naquele dia porque seu corpo tinha servido aos seus propósitos. Sua alma havia feito o que viera fazer, aprendera o que viera aprender, e então ficou livre para partir. E eu sabia, enquanto

Denny corria até o médico que iria cuidar de mim, que, se eu já tivesse realizado o que precisava realizar aqui na Terra, se eu já tivesse aprendido o que deveria aprender, eu teria atravessado a rua um segundo depois, e teria sido morto instantaneamente por aquele carro.

Mas eu não morri. Porque não tinha acabado. Ainda tinha trabalho a fazer.

48

Havia entradas separadas para cães e gatos. Isso é o que mais lembro. E uma outra entrada para animais com doenças infecciosas, que não era discriminada por espécies. Aparentemente, cães e gatos são iguais quando estão com doenças contagiosas.

Lembro-me do médico fazendo movimentos dolorosos nos meus quadris. Então ele me deu uma injeção e eu peguei no sono.

Quando acordei, ainda estava grogue, mas não sentia mais dor. Ouvi pedaços de conversas. Termos como "displasia" e "artrite crônica" e "fratura não exposta do osso pélvico". Outros como "cirurgia de reposição" e "operação de salvação", "ligação", "sofrimento umbral", "calcificação" e "unificação". E, o meu favorito, "velho".

Denny me levou para o saguão e me deitou no carpete marrom, que de alguma forma tinha algo de reconfortante naquela sala mal iluminada. O atendente conversou com ele e disse outras coisas que para mim pareciam confusas porque eu ainda estava meio entorpecido. "Raio-X". "Sedativo". "Exame e diagnóstico". "Injeção de cortisona". "Remédios para a dor". "Pagamento de emergência noturna". E, é claro, "812 dólares".

Denny entregou ao atendente um cartão de crédito. Ele se ajoelhou e acariciou minha cabeça.

— Você vai ficar bem, Zo — ele disse. — Você fraturou a bacia, mas vai ficar bom. Só vai ter de ir devagar por algum tempo, e depois vai ficar novinho em folha.

— Senhor Swift?

Denny ficou em pé e voltou ao balcão.

— Seu cartão não foi aceito.

Denny enrijeceu.

— Isso não é possível.

— O senhor tem outro cartão?

— Aqui.

Ficaram os dois olhando para a máquina azul onde eram inseridos os cartões, e poucos minutos depois o atendente balançou a cabeça.

— O senhor excedeu seu limite.

Denny franziu a sobrancelha e pegou outro cartão.

— Este é o meu cartão de débito. Vai passar.

Eles esperaram de novo. O resultado foi o mesmo.

— Isso não pode estar acontecendo — Denny falou. Eu podia ouvir sua respiração acelerando, seu coração batendo mais depressa. — Acabei de depositar meu pagamento. Talvez ainda não tenha sido liberado.

O médico apareceu.

— Algum problema? — ele perguntou.

— Escute, eu saquei trezentos dólares quando depositei meu cheque; eu peguei uma parte em dinheiro. Olhe.

Denny tirou as notas na frente do médico.

— Eles devem estar segurando o resto do cheque ou alguma coisa do tipo, esperando a liberação — Denny falou, a voz relevando pânico. — Sei que tenho dinheiro nessa conta. Ou posso retirar das minhas aplicações e fazer uma transferência amanhã.

— Calma, Denny — contemporizou o médico. — Tenho certeza de que deve ser apenas um mal-entendido.

Ele disse ao atendente:

— Faça um recibo de trezentos dólares para o senhor Swift e deixe um bilhete para Susan passar o cartão de manhã no valor da diferença.

O atendente estendeu o braço e pegou o dinheiro de Denny. Denny ficou olhando enquanto o atendente fazia o recibo.

— Posso ficar com vinte? — Denny perguntou, hesitante. Eu podia ver seu lábio tremer. Ele estava exausto e abalado e constrangido. — Preciso colocar gasolina no carro.

Quando chegamos em casa, Denny me colocou na cama e sentou na sala escura, iluminada apenas pelas luzes da rua lá fora, e ficou segurando a cabeça com as mãos por um bom tempo.

— Eu não agüento — ele disse. — Não posso mais continuar.

Ergui os olhos, e ele estava falando comigo. Estava olhando para mim.

— Eles venceram — ele disse. — Você está vendo?

Como é que eu poderia responder? O que poderia dizer?

— Não estou em condições nem de cuidar de você — ele disse. — Não tenho dinheiro nem para colocar gasolina no meu carro. Não tenho mais nada, Enzo. Não sobrou nada.

Ah, como eu gostaria de poder falar. Como eu gostaria de ter polegares. Eu poderia agarrá-lo pela gola da camisa. Poderia puxá-lo para perto de mim, tão perto que ele sentiria minha respiração em sua pele, e eu poderia dizer a ele:

— Isto é apenas uma crise. Um momento. Uma única partida contra a implacável escuridão do tempo! Foi você quem me ensinou a não desistir nunca. Você me ensinou que novas possibilidades surgem para aqueles que estão preparados, para aqueles que estão prontos. Você precisa acreditar!

Mas eu não podia dizer isso. Só podia ficar olhando para ele.

— Eu tentei — ele falou.

Ele disse isso porque não podia me ouvir. Porque não tinha ouvido uma palavra do que eu acabara de dizer. Porque sou apenas um cão.

— Você é testemunha — ele disse. — Eu tentei.

Se ao menos eu tivesse conseguido me apoiar nas patas traseiras. Se ao menos eu tivesse conseguido erguer minhas mãos e segurá-lo. Se ao menos eu tivesse conseguido falar com ele.

— Não *fui* sua testemunha — eu teria dito. — Ainda *estou testemunhando*!

E ele teria entendido o que eu queria dizer. E ele teria percebido.

Mas ele não podia me ouvir. Porque sou o que sou.

E então ele voltou a colocar a cabeça entre as mãos e sentou.

Eu não podia lhe proporcionar nada.

Ele estava sozinho.

49

Dias depois. Uma semana. Duas. Eu não sei. Depois da derrota de Denny, o tempo teve pouco significado para mim; ele parecia doente, não tinha energia, força de vida; nem eu. Num momento em que meus quadris ainda estavam me incomodando — não muito depois a ponto de estar curado, e não tão depressa a ponto de sentir dores muito fortes —, fomos visitar Mike e Tony.

Eles não moravam muito longe de nós. A casa deles era pequena, mas refletia outro padrão de vida; Tony estivera no lugar certo na hora certa, Denny me disse uma vez, e jamais teria de se preocupar com dinheiro de novo. Assim é a vida. Assim ela se manifesta. Seu carro vai para onde vão seus olhos.

Ficamos sentados na cozinha, Denny com uma xícara de chá e uma pasta de documentos diante dele. Tony não estava. Mike andava para lá e para cá nervosamente.

— É a decisão certa, Den — Mike falou. — Você tem todo o meu apoio.

Denny não se mexeu, não falou; manteve o olhar vazio sobre a pasta.

— Esta é a sua juventude, o seu momento. Os princípios são importantes, mas a sua vida também é. E a sua reputação ainda mais.

Denny concordou.

— Mesmo esquema de visitas, mas com duas semanas no verão e uma semana nas férias do Natal, e nas férias da escola em fevereiro? — Mike perguntou.

Denny concordou.

— E você não vai mais precisar pagar pensão alimentícia. Eles vão colocá-la em uma escola particular em Mercer Island. E vão pagar as despesas da faculdade.

Denny concordou.

— E vão encerrar os processos, apagar da sua ficha a acusação de assédio sexual?

Denny concordou.

— Denny — Mike falou seriamente —, você é um sujeito inteligente. Um dos mais inteligentes que já conheci. Deixe-me dizer uma coisa, essa é uma decisão inteligente. Você sabe disso, certo?

Denny pareceu confuso por um momento, examinou a mesa, as próprias mãos.

— Preciso de uma caneta — ele pediu.

Mike estendeu o braço por trás dele até a mesa do telefone e pegou uma caneta. Entregou-a a Denny.

Denny hesitou, a mão parada sobre os documentos da pasta. Ele ergueu os olhos para Mike.

— Eu me sinto como se eles tivessem me despedaçado por dentro, Mike. Como se tivessem me aberto e cortado meus intestinos, e agora vou ter de andar com um saco plástico pelo resto da vida. Pelo resto da vida, vou ficar com esse saco plástico amarrado à minha cintura, e, sempre que tiver de ir ao banheiro esvaziar o saco plástico na privada, vou lembrar de como eles me cortaram e me extirparam o intestino e como fiquei prostrado com um sorriso morto no rosto. E vou concluir: "Bom, pelo menos não estou falido".

Parecia que Mike não sabia o que dizer.

— É duro — ele comentou.

— É. É duro — Denny concordou. — Bela caneta.

Denny segurou a caneta. Era uma dessas canetas que se oferecem como brinde, com uma coisa que fica se mexendo dentro de um líquido.

— É do zoológico Woodland Park — Mike falou.

Olhei mais atentamente. Para a ponta da caneta. Uma pequena savana de plástico. A coisa que se mexia? Uma zebra. Quando Denny erguia a caneta, a zebra deslizava pela savana de plástico. A zebra está em toda parte.

De repente, eu percebi. A zebra. Não é uma coisa que fica fora de nós. A zebra é algo que está *dentro* de nós. Os nossos medos. Nossa própria natureza autodestrutiva. A zebra é a pior parte de nós quando temos de enfrentar os piores momentos. O demônio somos nós!

Denny levou a ponta da caneta até o papel e eu pude ver a zebra deslizando para baixo, aproximando-se da assinatura, e eu sabia que não era Denny quem estava assinando. Era a zebra! Denny jamais desistiria de sua filha por algumas semanas nas férias de verão e a isenção do pagamento da pensão alimentícia.

Eu era um cão velho. Atingido recentemente por um carro. E mesmo assim murmurei o que pude, e os remédios para a dor que Denny havia me dado um pouco antes ajudaram com o resto. Subi no colo de Denny com as patas. Estiquei os meus dentes. E, de repente, me vi na porta da cozinha com os papéis na boca, com Mike e Denny olhando para mim, completamente atônitos.

— Enzo! — Denny exigiu. — Solte isso!

Eu me recusei.

— Enzo! Solte! — ele gritou.

Eu sacudi a cabeça.

— Venha cá, garoto! — Mike pediu.

Olhei para ele; ele estava segurando uma banana. Bancando o policial bonzinho enquanto Denny fazia o papel de policial durão. O que era totalmente injusto. Ele sabia o quanto eu gostava de banana. Mesmo assim, recusei.

— Enzo, venha já pra cá! — Denny berrou, tentando me pegar.

Eu corri.

Foi uma perseguição em baixa velocidade, é claro, pois minha mobilidade estava bastante limitada. Mas, de qualquer modo, foi uma perseguição. Eu fingi, desviei, escorreguei e me esquivei das mãos que me agarravam pelo pescoço. Escapei dos dois.

Ainda estava com os papéis quando me encurralaram em um canto da sala. Mesmo quando estavam prestes a me pegar e arrancar os papéis das minhas garras, eu tive uma chance. Estava encurralado, eu sei. Mas Denny me ensinou que a corrida não termina até que o juiz erga a bandeira. Olhei em volta e percebi que uma das janelas estava aberta. A abertura não era grande, e tinha uma tela, mas estava aberta; era o suficiente.

Apesar de toda a dor, eu disparei. Com toda a minha força, eu mergulhei. Passei pela abertura, bati na tela e a arrombei. E de repente estava na varanda. Corri para o jardim dos fundos.

Mike e Denny saíram voando pela porta dos fundos, ofegantes, mas não continuaram a me perseguir. Pelo contrário, pareciam impressionados com a minha proeza.

— Ele mergulhou... — Mike falou, sem fôlego.

— ... pela janela — Denny terminou por ele.

Sim, eu tinha feito isso. Mergulhado.

— Se tivéssemos uma fita de vídeo com isso, poderíamos ganhar dez mil dólares naquele programa de vídeos domésticos — Mike falou.

— Me dê os papéis, Enzo — Denny falou.

Eu os sacudi vigorosamente com a boca. Mike começou a rir da minha recusa.

— Isso não é engraçado — Denny reclamou.

— Tem uma certa graça — Mike respondeu para se defender.

— Me dê os papéis — Denny repetiu.

Larguei os papéis na minha frente e ajeitei as patas. Cavei um buraco. Tentei enterrá-los.

Mike riu de novo.

Mas Denny ficou zangado; ele olhou para mim.

— Enzo, eu estou avisando.

O que eu podia fazer? Será que já não tinha deixado claro? Será que já não havia comunicado a minha mensagem? O que mais poderia fazer?

Somente uma coisa. Ergui a pata de trás e urinei sobre os papéis.

Gestos são tudo que tenho.

Quando eles viram o que eu tinha feito, não agüentaram; começaram a rir. Denny e Mike. Riram muito. Denny riu muito mais, como não fazia havia anos. Eles chegaram a ficar com os rostos vermelhos. Mal conseguiam respirar. Caíram de joelhos e riram até não agüentarem mais.

— Está bem, Enzo — Denny falou. — Está tudo bem.

Então eu fui até ele, deixando os papéis cheios de urina na grama.

— Telefone para o Lawrence — Mike falou para Denny. — Ele imprime os papéis de novo e você assina.

Denny ficou em pé.

— Não — ele falou. — Estou com Enzo. Também estou cagando para o acordo deles. Não me importa se isso representa alguma inteligência da minha parte. Eu não fiz nada de errado, e não vou desistir. Não vou desistir nunca.

— Eles vão ficar malucos — Mike falou com um suspiro.

— Que se danem. Vou vencer essa coisa ou vou ficar sem combustível na última volta. Mas não vou desistir. Prometi a Zoë. Não vou desistir.

Quando chegamos em casa, Denny me deu um banho e me enxugou com uma toalha. Depois ligou a TV na sala.

— Qual é a sua favorita? — ele perguntou, olhando para a prateleira onde guardava as fitas de vídeo, todas as corridas a que adorávamos assistir juntos. — Ah, aqui está uma de que você gosta.

Ele colocou a fita. Ayrton Senna pilotando no Grande Prêmio de Mônaco em 1984, escorregando pela chuva na perseguição ao líder da corrida, Alain Prost. Senna teria vencido essa prova se não tivesse sido interrompida por causa do tempo; quando chovia, nunca chovia sobre Senna.

Assistimos à corrida juntos sem nenhuma parada, lado a lado, Denny e eu.

50

Chegou o verão do meu décimo aniversário e com ele uma espécie de sensação de equilíbrio em nossas vidas, embora não de plenitude. Ainda passávamos fins de semana alternados com Zoë, que havia ficado tão alta recentemente, e que nunca deixava passar um momento sem fazer uma pergunta ou questionar uma teoria ou fazer alguma observação que fazia Denny rir de orgulho.

Meus quadris nunca se recuperaram completamente do acidente, mas eu estava determinado a não dar mais gasto a Denny, como acontecera no hospital de animais naquela noite. Eu enfrentava a dor, que às vezes não me deixava dormir à noite. Fiz o melhor que pude para acompanhar o ritmo de vida; minha mobilidade era bastante limitada e não conseguia galopar ou andar a meio-galope, mas ainda podia trotar muito bem. Sentia que tinha conseguido ir além das expectativas, pois às vezes ouvia algumas pessoas que conheciam meu histórico comentarem como eu parecia animado e alegre, ou como os cães se curam rapidamente e se adaptam facilmente às suas deficiências.

O dinheiro ainda significava uma luta constante para nós, pois Denny era obrigado a dar uma parte do seu pagamento para os Gêmeos

Malignos, e o dr. Lawrence, o advogado lacônico, estava sempre exigindo que Denny mantivesse suas contas em dia. Felizmente, os chefes de Denny eram generosos e permitiam que ele mudasse constantemente suas escalas para poder cumprir seus inúmeros compromissos, e também dar aulas de pilotagem na Pacific Raceways, que era uma forma mais fácil de Denny conseguir mais dinheiro para pagar por sua defesa.

Às vezes, nos dias de aula de pilotagem, Denny me levava com ele para a pista, e, apesar de nunca terem permitido que eu andasse no carro com ele, gostava de ficar sentado nas arquibancadas assistindo às aulas. Fiquei conhecido como cão de pista, e gostava especialmente de trotar pelo padoque, observando a última moda em carros comprados por homens e mulheres jovens e ricos, donos de contas bancárias abarrotadas de dinheiro, que gastavam em troca de tecnologia dispendiosa. Do ágil Lótus Exige ao Porsche clássico, passando pelo vistoso Lamborghini, havia sempre algo de bom para ver.

Em um dia quente do fim de julho, estávamos dando aula, eu me lembro, e, enquanto todos se concentravam na pista, vi quando uma linda Ferrari F430 vermelha passou pelo padoque e foi até os escritórios da escola. Um homem pequeno, um tanto velho, saiu do carro e o dono da escola, Don Kitch, veio ao seu encontro. Eles se abraçaram e conversaram alguns minutos. O homem foi até as arquibancadas para ter uma visão da pista, e Don falou com seus funcionários pelo rádio para que encerrassem a sessão e fizessem uma parada para o almoço.

Enquanto os pilotos saíam dos carros e ouviam os comentários e orientações dos instrutores, Don chamou Denny, que se aproximou, como eu, curioso para saber o que estava acontecendo.

— Preciso de um favor — Don disse a Denny.

E de repente o homem da Ferrari estava conosco.

— Você se lembra de Luca Pantoni, não lembra? — Don perguntou. — Fomos jantar na sua casa alguns anos atrás.

— É claro — Denny respondeu, cumprimentando Luca com um aperto de mão.

— Sua mulher nos preparou um jantar delicioso — disse Luca. — Eu me lembro até hoje. Por favor, aceite minhas sinceras e profundas condolências.

Quando o ouvi falar com aquele sotaque italiano, eu o reconheci imediatamente. O homem da Ferrari.

— Obrigado — Denny respondeu com a voz baixa.

— Luca quer que você mostre a nossa pista para ele — Don falou. — Você pode pegar um sanduíche entre as sessões, certo? Você não precisa almoçar...

— Sem problemas — Denny falou, colocando o capacete e andando até o lado do passageiro do maravilhoso automóvel.

— Senhor Swift — Luca chamou —, talvez o senhor possa me fazer o favor de permitir que eu vá no banco do passageiro para que eu possa ver mais.

Surpreso, Denny olhou para Don.

— Quer que eu dirija *este* carro? — ele perguntou. Afinal, a F430 estava avaliada em mais de duzentos mil dólares.

— Assumo toda a responsabilidade — disse Luca.

Don acenou com a cabeça.

— Será um prazer — Denny falou, e assumiu o *cockpit*.

Era um carro extremamente belo, e estava equipado não para ser dirigido nas ruas, mas para a pista, com discos de freio de cerâmica, banco e cinto de segurança em uma única peça homologada pela FIA, estrutura anticapotamento, e, como eu suspeitava, *paddle-shifters*, borboletas que permitem a troca de marchas no volante, no estilo da F1. Os dois homens colocaram os cintos de segurança e Denny pressionou o botão da partida eletrônica e o carro despertou para a vida.

Ah, que som! O ronco daquele motor fantástico se sobrepondo ao barulho rouco do escapamento maciço. Denny engatou e eles passaram lentamente pelo padoque até a entrada da pista.

Eu fui atrás de Don até a sala de aula da escola, onde os alunos estavam pegando pedaços enormes de um sanduíche gigantesco, mastigando e comendo e rindo, a manhã intensa de atividades na pista tendo injetado na vida deles alegria suficiente para animar o resto da semana.

— Se quiserem ver algo especial — Don falou para os pilotos —, peguem os sanduíches e vamos para as arquibancadas. Está acontecendo uma sessão na hora do almoço.

A Ferrari era o único carro na pista, que normalmente ficava fechada durante a hora do almoço. Contudo, aquela era uma ocasião especial.

— O que está acontecendo? — perguntou um dos instrutores a Don.

— Denny vai fazer um teste — Don respondeu enigmaticamente.

Nós todos fomos para as arquibancadas a tempo de ver Denny contornando a curva 9 e entrando na reta.

— Imagino que ele vai precisar de umas três voltas para decorar a seqüência do câmbio — Don falou.

Como era de esperar, Denny começou lentamente, como quando pilotou comigo no carro em Thunderhill. Ah, como eu gostaria de poder trocar de lugar com Luca, aquele cão de sorte! Ser co-piloto de Denny em uma F430 devia ser uma experiência fascinante.

Ele estava pilotando com facilidade, mas, ao dar a volta pela terceira vez, houve uma mudança notável no carro. Não era mais um carro, e sim uma mancha vermelha. Ele não gemia mais; gritava quando passou voando pela reta com tanta velocidade que os alunos começaram a rir uns para os outros como se alguém tivesse acabado de contar uma piada suja. Denny estava estabelecendo um novo recorde.

Um minuto depois, tão rápido que parecia ter pegado um atalho, a Ferrari emergiu do meio de um grupo de árvores na saída da volta 7, elevando-se a ponto de sua suspensão ficar completamente estendida, e então, fazendo um *poc-poc-poc*, ouvimos o câmbio eletrônico passando da sexta para a terceira marcha, e o brilho vermelho dos freios de cerâmica entre os raios das rodas de magnésio, e depois ouvimos a aceleração aberta enquanto víamos o carro fazer a curva 8 como se estivesse numa plataforma de testes, ou sobre trilhos; a borracha quente dos pneus de corrida grudando no piso oleoso feito velcro, e, então — *poc* — outra mudança de marcha — *poc* —, outra marcha e ele voou pela curva 9 a poucos centímetros do muro de concreto. O efeito doppler do carro ao passar convertia o rangido em um resmungo zangado, e lá ia ele — *poc* —, mudando a marcha novamente na curva e desaparecendo em seguida.

— Puta merda! — disse um aluno.

Eu me virei para olhar para eles, e estavam todos de boca aberta. Acompanhávamos em silêncio e podíamos ouvir aquele som da mudança de marcha enquanto Denny se preparava para fazer a volta no lado oposto da pista, que não podíamos ver, mas ficávamos imaginando, graças aos maravilhosos efeitos de som, e Denny passou por nós novamente a milhões de quilômetros por hora.

— Será que ele já alcançou o limite? — alguém perguntou em voz alta.

Don sorriu e balançou a cabeça.

— Ele já passou do limite faz tempo. Tenho certeza de que Luca lhe pediu que mostrasse o que poderia fazer, e é exatamente isso o que ele está fazendo — falou Don. Então ele se virou para o grupo e gritou: — *Nunca dirijam desse jeito! Denny é um piloto de corridas profissional e esse não é o carro dele! Ele não vai ter de pagar a conta se o carro quebrar!*

Volta após volta, eles continuaram até ficarmos tontos e exaustos de tanto ver. E então o carro desacelerou consideravelmente, fazendo uma volta bem lenta para esfriar um pouco e parar perto do padoque.

A classe inteira se juntou ao redor enquanto Denny e Luca deixavam o carro ainda queimando. Os alunos estavam alvoroçados; tocavam a janela de vidro que cobria aquela máquina magnífica e elogiavam a corrida espetacular.

— Todos para a sala de aula — Don grunhiu. — Vamos ver as anotações que fizemos sobre as sessões da manhã.

Enquanto se afastavam, Don agarrou o ombro de Denny firmemente.

— O que você achou?

— Foi uma coisa incrível — Denny respondeu.

— Bom pra você. Você merece.

Denny se preparou para dar a próxima aula; Luca se aproximou e estendeu a mão, entregando-lhe um cartão.

— Eu gostaria que você trabalhasse para mim — Luca falou com seu forte sotaque.

Eu sentei perto de Denny, que logo estendeu a mão e coçou minha orelha para não perder o hábito.

— Eu agradeço muito — Denny respondeu. — Mas não acho que seja um bom vendedor de carros.

— Nem eu.

— Mas você trabalha na Ferrari.

— Sim. Eu trabalho em Maranello, na sede da Ferrari. Temos uma pista maravilhosa.

— Sei — Denny respondeu. — Então quer que eu trabalhe onde?

— Na pista. Existe essa necessidade, pois nossos clientes pedem instruções para pistas de corrida em seus carros novos.

— Instruções?

— Existe essa necessidade. Mas, principalmente, você estaria testando os carros.

Denny arregalou os olhos exageradamente e então inspirou profundamente, como eu. Aquele sujeito estava mesmo falando o que ouvíamos?

— Na Itália?

— Sim. Você teria um apartamento para você e a sua filha. E, é claro, um carro da empresa — um Fiat — como parte do pacote de benefícios.

— Para viver na Itália — Denny falou. — E testar as Ferraris?

— *Si.*

Denny girou a cabeça. Rodou completamente, fazendo um círculo, e depois olhou para mim, rindo.

— Por que eu? Existem milhares de caras que podem pilotar este carro.

— Don Kitch disse que você é um piloto excepcional com tempo chuvoso.

— Sou mesmo. Mas não pode ser esse o motivo.

— Não — Luca falou. — Você está certo. — Ele olhou para Denny, os olhos azul-claros sorrindo. — Mas prefiro falar sobre esses motivos quando você for encontrar comigo em Maranello, e gostaria de convidá-lo para jantar em minha casa.

Denny concordou com a cabeça e mordeu o lábio. Bateu no cartão de Luca com a unha do polegar.

— Agradeço imensamente a sua generosa oferta, mas receio que algumas coisas possam impedir que eu saia do país, e até do estado, neste momento. Por isso acho que não posso aceitar.

— Estou a par de todos os seus problemas — Luca explicou. — É por isso que estou aqui.

Denny ergueu os olhos, surpreso.

— Vou manter o lugar vago para você até que sua situação esteja resolvida e você possa tomar uma decisão sem ser pressionado pelas circunstâncias. O número do meu telefone está no cartão.

Luca sorriu e cumprimentou Denny com um aperto de mão. Depois entrou na Ferrari.

— Gostaria que me dissesse por quê — Denny insistiu.

Luca ergueu o dedo.

— Jantar, em minha casa. Você vai entender.

Então ele foi embora.

Denny balançou a cabeça, confuso, enquanto os alunos da escola de pilotagem de alto desempenho deixavam a sala de aula e se encaminhavam para seus carros. Don surgiu do meio deles.

— E então?

— Eu não entendo.

— Ele se interessa por sua carreira desde que conheceu você — Don explicou. — Sempre que conversamos, ele pergunta sobre você.

— E por que ele se preocupa tanto?

— Ele quer lhe dizer pessoalmente. Tudo que posso dizer é que ele sente muito respeito pelo modo como você está lutando por sua filha.

Denny pensou por um momento.

— Mas... e se eu não ganhar?

— Não há desonra em perder a corrida — Don falou. — Desonra é não correr por medo de perder. — Ele fez uma pausa. — Agora volte para o seu aluno e volte para a pista! Esse é o seu lugar!

51

— Você precisa sair? Vamos sair.

Ele estava segurando minha coleira. Vestia uma calça jeans e um casaco leve por causa do frio do outono. Ele me colocou de pé e prendeu a coleira. Saímos no escuro; eu havia pegado no sono, mas estava na hora de urinar.

Minha saúde vinha piorando sensivelmente. Não sei se o acidente do inverno anterior tinha soltado algo na minha tubulação interna, ou se havia alguma coisa nos remédios dados por Denny, mas eu havia desenvolvido um caso de incontinência urinária. Depois de qualquer atividade, mesmo as mais leves, eu acabava dormindo profundamente e acordava com a cama molhada. Normalmente eram apenas algumas gotas, apesar de às vezes ser pior; contudo, era uma situação sempre embaraçosa.

Também sentia grande dificuldade com os quadris. Depois de ter levantado e de me movimentar, depois que as juntas estavam aquecidas, eu me sentia melhor e conseguia me movimentar bem. Mas, sempre que eu dormia ou ficava deitado em algum lugar por determinado tempo, as juntas traseiras travavam, e eu tinha dificuldade para voltar a movimentá-las, ou até mesmo para ficar em pé.

O resultado prático dos meus problemas de saúde era que Denny não podia mais me deixar sozinho durante um dia inteiro de trabalho. Ele passou a aparecer na hora do almoço para me levar para fora a fim de que eu me aliviasse. Ele foi muito gentil, e explicou que estava fazendo aquilo por ele mesmo: sentia-se estagnado, ele disse. E frustrado. Os advogados continuavam em seu ritmo vagaroso, e não havia nada que Denny pudesse fazer para acelerar as coisas, por isso ele considerava estimulante a caminhada do trabalho para o apartamento, e de volta para o trabalho; permitia que ele fizesse um bom exercício cardiovascular e também lhe dava um propósito, uma meta; algo para fazer além de esperar.

Naquela noite — por volta das dez da noite, eu sabia, porque tinha acabado *The Amazing Race* —, Denny me levou para dar uma volta. A noite parecia estimulante, e eu gostei daquela sensação de vivacidade quando o ar penetrou minhas narinas. A energia.

Atravessamos a Pine Street e vi as pessoas fumando do lado de fora do Cha Cha Lounge. Eu me forcei a ignorar a necessidade de cheirar a sarjeta. Recusei-me a enfiar o nariz no traseiro de outro cachorro que também estava passeando. Mesmo assim, urinei na rua como um animal porque essa era a minha única alternativa. Ser um cão.

Caminhamos pela Pine em direção à cidade, e ela estava lá.

Nós dois paramos. Prendemos a respiração. Duas jovens em uma mesa na rua, diante do Bauhaus Books and Coffee, e uma delas era Annika.

Sedutora! Corruptora! Megera!

Que estranho encontrar aquela garota horrível. A minha vontade era pular em cima dela e agarrar seu nariz com meus dentes e torcê-lo! Como eu odiava aquela moça que atacara Denny com sua sensualidade abusada e depois o culpara pelo ataque. Como eu a desprezava por ter destruído esta família por causa de seus propósitos egoístas. Uma mulher desprezível, sem dúvida! Kate Hepburn certamente a derrubaria com um único soco, soltando uma gargalhada. Eu estava fuzilando de raiva.

Ela estava sentada com outra garota diante do Bauhaus. Nesse café modernoso da *nossa* vizinhança, ela estava tomando café e fumando um cigarro! Devia estar com 17 anos, talvez 18, e podia circular socialmente por sua própria conta. Tecnicamente, poderia freqüentar qualquer café da cidade e arder na própria infâmia. Eu não poderia impedi-la. Mas não precisava ter de lidar com ela — dedo-duro imatura, causadora de sofrimento!

Pensei que iríamos atravessar a rua para evitar um confronto, mas, em vez disso, seguimos direto na direção dela. Não entendi. Talvez Denny não a tivesse visto. Talvez não soubesse...?

Mas eu sabia, e resisti. Finquei os pés, abaixei a cabeça.

— Vamos lá, garoto — Denny mandou. Ele puxou minha coleira.

Eu me recusei.

— Vem comigo! — ele ordenou.

Não! Eu não iria com ele!

E então ele se abaixou. Ele se ajoelhou, segurou o meu focinho e me olhou nos olhos.

— Sei que é ela. Vamos enfrentar isso com dignidade.

Ele soltou o meu focinho.

— Talvez seja *bom* para nós, Zo. Quero que vá até ela e seja carinhoso como jamais foi com outra pessoa.

Eu não entendia sua estratégia, mas concordei. Afinal, ele estava segurando a coleira.

Quando nos aproximamos da mesa em que ela estava, Denny parou e mostrou-se surpreso.

— Ei! — ele disse, todo jovial.

Annika ergueu os olhos, fingindo surpresa, no entanto era óbvio que também havia nos visto e que estava torcendo para que não acontecesse o encontro.

— Denny. Que bom ver você!

Eu fiz a minha parte. Cumprimentei-a entusiasticamente, rocei meu nariz, enfiei a cabeça no meio de suas pernas, sentei e fiquei olhando para ela com grande expectativa, algo que as pessoas apreciam muito. Mas, por dentro, estava muito agitado. A maquilagem do rosto. O cabelo. A blusa apertada e os peitos ondulantes. Argh!

— Enzo!

— Escute, podemos conversar um pouco?

— Vou pegar outro café — disse a amiga de Annika, começando a se levantar.

— Não — Denny a segurou com um gesto da mão. — Por favor, fique.

Ela titubeou.

— É importante que você seja testemunha de que não há nada impróprio acontecendo aqui — Denny explicou. — Se você sair, eu terei de sair.

A garota olhou para Annika, que concordou com a cabeça.

— Annika.

— Denny.

Ele puxou uma cadeira vazia da mesa do lado e sentou perto dela.

— Entendo perfeitamente o que está acontecendo — ele disse.

O que era estranho, porque eu não sabia de nada. Não estava entendendo absolutamente nada. Ela o atacara. Então o acusara de tê-la atacado e por causa disso nós só podíamos ver Zoë alguns dias da semana. Não conseguia entender por que estávamos conversando quando deveríamos estar fazendo churrasquinho dela.

— Talvez eu tenha dado sinais — ele disse. — A culpa é toda minha. Mas, só porque a luz está verde, isso não quer dizer que você possa atravessar a rua sem olhar para os dois lados antes.

Annika fez uma careta de surpresa e olhou para a amiga.

— Isso é uma metáfora — auxiliou a amiga.

Ah! Uma metáfora, ela disse! Fantástico! Essa daí pelo menos sabia decodificar a língua! Vamos deixar o churrasco para depois!

— Deveria ter lidado com a situação de maneira completamente diferente — Denny falou. — Não tive a oportunidade de dizer isso a você porque nos obrigaram a manter distância, mas eu sou o responsável por todos os erros. A culpa é toda minha; você não fez nada errado. Você é uma mulher atraente, e entendo que o fato de eu ter reparado nisso possa ter significado para você um sinal de que eu estava disponível. Mas eu não estava. Eu era casado com Eve. E você era jovem demais.

Annika abaixou a cabeça ao ouvir o nome de Eve.

— Posso até ter pensado em você como se fosse Eve por alguns instantes. E talvez tenha olhado para você como costumava olhar para ela. Mas, Annika, apesar de entender como você deve ter ficado furiosa, imagino que saiba o que está acontecendo, e qual foi o resultado disso. Eles não querem permitir que eu fique com minha filha. Você consegue compreender isso?

Annika olhou para ele e se encolheu.

— Eles querem que eu seja fichado como molestador sexual, e isso significa que terei sempre de entrar em contato com a polícia, onde quer que eu viva. E jamais poderia ver minha filha sem supervisão. Eles lhe disseram isso?

— Eles disseram... — ela falou suavemente, mas não terminou a frase.

— Annika, quando eu vi Eve pela primeira vez, mal consegui respirar. Eu não conseguia andar. Senti que se a perdesse de vista, por um momento que fosse, iria acordar de um sonho e descobrir que ela havia desaparecido. Todo o meu mundo passou a girar em torno dela.

Ele parou, e ninguém disse absolutamente nada por um instante. Uma multidão saiu de um restaurante do outro lado da rua e as pessoas se despediram umas das outras em voz alta, fazendo barulho e rindo muito, beijando-se e abraçando-se antes de seguirem cada uma para um lado.

— Jamais teria dado certo entre mim e você. Por um milhão de motivos. Minha filha, minha idade, sua idade, Eve. Em outra época, em outro lugar? Quem sabe? Mas não agora. Não três anos atrás. Você é uma mulher maravilhosa, e eu sei que vai encontrar o parceiro certo e vai ser muito feliz pelo resto da vida.

Ela o encarou; seus olhos eram muito grandes.

— É uma pena que não seja eu, Annika. Mas um dia você vai encontrar alguém e o mundo vai parar por sua causa, como Eve parou o mundo para mim. Eu juro. — Ela ficou parada, olhando para o seu café.

— Zoë é minha filha — ele continuou. — Eu a amo como o seu pai a ama. Por favor, Annika, não a tire de mim.

Annika não tirou os olhos do copo, mas eu olhei para a sua amiga. E ela estava com lágrimas nos olhos.

Ficamos quietos por um momento, e então viramos e fomos embora, e Denny parecia estar com o semblante mais leve.

— Acho que ela me ouviu — ele comentou.

Eu também achava, mas como poderia responder? Lati duas vezes.

Ele olhou para mim e riu.

— Mais rápido?

Lati duas vezes de novo.

— Mais rápido, então — ele disse. — Vamos lá!

E fomos trotando pelo restante do caminho, até chegar em casa.

52

O casal parado junto à porta era totalmente estranho para mim. Eram velhos e frágeis. Vestiam roupas surradas. Carregavam malas velhas e cheiravam a naftalina e café.

Denny abraçou a mulher e beijou-a no rosto. Pegou sua mala com uma das mãos e cumprimentou o homem com a outra. Eles entraram no apartamento e Denny pegou os casacos.

— O quarto de vocês é este aqui — ele lhes disse, levando as malas para o quarto. — Vou dormir no sofá.

Nenhum dos dois disse uma palavra. Ele era careca, tinha apenas uma faixa de cabelo preto oleoso atrás da cabeça. Seu crânio era longo e estreito. Os olhos eram encovados, como as bochechas; seu rosto era coberto por alguns pêlos cinza que pareciam ferir sua pele. A mulher tinha cabelos brancos muito ralos, que deixavam quase todo o couro cabeludo à mostra. Usava óculos de sol, mesmo dentro do apartamento, e costumava ficar absolutamente parada, e esperava até o homem ficar ao lado dela para se mexer.

Ela sussurrou no ouvido do homem.

— Sua mãe gostaria de usar o banheiro — disse ele.

— Eu mostro a ela — Denny falou. Ele ficou perto da mulher e estendeu seu braço.

— *Eu* mostro a ela — disse o homem.

A mulher pegou o braço do homem, e ele a conduziu pelo corredor até o banheiro.

— O interruptor de luz está atrás da toalha de rosto — Denny falou.

— Ela não precisa do interruptor de luz — respondeu o homem.

Quando eles entraram no banheiro, Denny se virou e esfregou o rosto com as palmas das mãos.

— Que prazer em vê-las — ele falou para as mãos. — Faz tanto tempo.

53

Se eu soubesse que iria conhecer os pais de Denny, teria sido mais receptivo com aqueles estranhos. Não ficara sabendo com antecedência; ninguém havia me avisado. Portanto, minha surpresa era completamente justificável. Ainda assim, eu preferiria tê-los recebido como pessoas da família.

Eles ficaram conosco durante três dias, e quase não saíram do apartamento. Em um desses dias à tarde, Denny trouxe Zoë, que estava muito bonita com o cabelo preso por fitas e um lindo vestido, e que certamente havia recebido instruções de Denny, pois ficou sentada durante muito tempo no sofá, permitindo que a mãe de Denny explorasse seu rosto com as mãos. Durante todo o encontro, lágrimas rolaram pelo rosto da mãe de Denny, lágrimas que marcaram o vestido estampado de Zoë.

Denny preparou nossas refeições, um cardápio muito simples: bife grelhado, ervilhas no vapor, batatas cozidas. Eles comiam em silêncio. O fato de que três pessoas pudessem ocupar um apartamento tão pequeno e falar tão pouco era algo muito estranho para mim.

O pai de Denny mostrou-se menos grosseiro enquanto esteve conosco, e até chegou a sorrir para Denny algumas vezes. Certa vez, no silêncio do apartamento, enquanto eu estava em meu canto observando os elevadores do Space Needle, ele se colocou atrás de mim.

— O que você está olhando, rapaz? — ele perguntou tranqüilamente, e tocou o alto da minha cabeça, e seus dedos coçaram as minhas orelhas do mesmo jeito que Denny fazia. Como o toque de um filho pode ser tão parecido com o toque do pai?

Eu olhei para ele.

— Tome conta dele.

Eu não sabia se ele falava comigo ou com Denny. E, se estivesse falando comigo, queria dar uma ordem? A linguagem humana, capaz de imensa precisão com milhares de palavras, ainda assim pode ser incrivelmente vaga.

Na última noite de sua visita, o pai de Denny lhe entregou um envelope.

— Abra — ele pediu.

Denny obedeceu, e olhou o conteúdo do envelope.

— Mas que diabos...! De onde veio isso?

— Veio de nós — respondeu seu pai.

— Vocês não têm dinheiro.

— Nós temos uma casa. Temos uma fazenda.

— Vocês não podem vender a casa de vocês!

— Não vendemos. Eles chamam isso de hipoteca reversa. O banco ficará com a nossa casa quando morrermos, mas achamos que você estaria precisando mais do dinheiro agora do que quando morrêssemos.

Denny olhou para o pai, que era bastante alto e muito magro; suas roupas caíam sobre o corpo fazendo dobras, como as roupas de um espantalho.

— Papai — Denny começou, mas seus olhos se encheram de lágrimas e ele só conseguiu balançar a cabeça. Seu pai estendeu o braço e se aproximou dele num abraço, passou a mão em sua cabeça com os dedos longos de unhas longas, que tinham uma meia-lua pálida perto da raiz.

— Nunca agimos corretamente com você — disse o pai de Denny. — Nunca agimos da maneira certa. Isso vai ajudar.

Eles foram embora na manhã seguinte. Como o último vento forte do outono, que balança as árvores até caírem as últimas folhas, a visita deles foi rápida, mas poderosa, indicando a mudança da estação; logo, a vida recomeçaria.

54

Um piloto precisa ter fé. Em seu talento, em seu poder de julgamento, no poder de julgamento daqueles que o cercam, nas leis da física. Um piloto precisa ter fé na equipe, no carro, nos pneus, nos freios, em si mesmo.

Ele erra a entrada na curva. É forçado a sair do seu trajeto. Ele está em alta velocidade. Os pneus perderam a aderência. A pista ficou escorregadia. E de repente ele se vê na saída da curva sem ter mais pista e em grande velocidade.

Enquanto a caixa de brita se aproxima, o piloto precisa tomar decisões que terão impacto sobre a corrida, sobre seu futuro. Virar as rodas dianteiras violentamente, indo contra a sua natureza, só vai fazer o carro rodar. Frear é igualmente ruim, porque deixará a traseira do carro solta. O que fazer?

O piloto precisa aceitar seu destino. Ele precisa aceitar o fato de que erros foram cometidos. Cálculos errados. Decisões ruins. Uma confluência de circunstâncias colocaram-no nessa situação. O piloto precisa aceitar tudo isso e estar disposto a pagar o preço. Precisa sair da pista.

Tirar duas rodas. Até mesmo quatro. É uma sensação terrível, como piloto e como competidor. O cascalho que bate no chassi. A sensação de estar nadando na lama. Enquanto as rodas estão fora da pista, outros pilotos estão passando por ele. Pegando seu lugar, continuando em alta velocidade. Só ele está reduzindo.

Nesse momento, o piloto entra em crise. Ele *precisa* acelerar novamente. Ele *precisa* voltar para a pista.

Oh, estupidez!

Pense nos pilotos que saíram das corridas por terem quebrado a direção, por terem exagerado na correção a ponto de rodarem na frente dos adversários. Uma posição terrível para qualquer um ficar...

Um vencedor, um campeão, aceita o seu destino. Continua com as rodas na sujeira. Faz o melhor que pode para manter o traçado e voltar gradualmente para a pista em segurança. Sim, ele perde algumas posições na corrida. Sim, ele fica em desvantagem. Mas continua correndo. Continua vivo.

A corrida é longa. É melhor pilotar dentro dos limites e terminar a corrida atrás dos outros do que forçar e quebrar.

55

Foram tantas as informações dos dias seguintes, graças a Mike, que encheu Denny de perguntas até conseguir as respostas. Sobre a cegueira de sua mãe, que se estabeleceu quando Denny era um garoto; ele havia tomado conta da mãe até sair de casa, depois que terminara o colegial. Sobre o seu pai dizendo que se ele não ficasse para ajudar com a fazenda e com a mãe não precisava se preocupar em manter contato algum. Sobre como Denny telefonava todos os anos no Natal até sua mãe finalmente atender e ouvir sem falar. Durante anos, até que ela finalmente perguntou como ele estava e se era feliz.

Fiquei sabendo que seus pais não pagaram o programa de treinos na França, como Denny havia dito; ele pagara com um empréstimo hipotecário. Fiquei sabendo que seus pais não contribuíram com o patrocínio da temporada de carro de turismo, como Denny havia dito; ele pagara com uma segunda hipoteca, que Eve havia encorajado.

Sempre forçando os limites. Sempre falido. E falando por telefone com sua mãe cega, pedindo algum tipo de ajuda, qualquer ajuda, para que ele pudesse lutar pela guarda de sua filha; e sua mãe dizendo que lhe daria tudo se pudesse conhecer sua neta. Suas mãos no rosto esperançoso de Zoë; suas lágrimas no vestido de Zoë.

— Que história triste — Mike falou, servindo-se de outra dose de tequila.

— Na verdade — Denny tornou, olhando para sua lata de Coca diet —, acho que essa história vai ter um final feliz.

56

— Todos em pé — disse o meirinho, com uma formalidade antiquada em um cenário contemporâneo. O novo tribunal de Seattle: paredes de vidro e vigas de metal encontrando-se em todos os ângulos; pisos de concreto e escadas com pisos de borracha; e tudo isso iluminado por uma luz estranha, azulada.

— O honorável juiz Van Tighem.

Um homem idoso, vestido com uma toga preta, entrou na sala. Era baixo e largo, e tinha uma onda de cabelo grisalho penteada para um dos lados da cabeça. As sobrancelhas escuras e espessas caíam sobre os olhos pequenos como lagartas cabeludas; ele falava com um ritmo irlandês.

— Sentem-se — ele ordenou. — Vamos começar.

•••

Foi assim que começou o julgamento. Pelo menos na minha cabeça. Não vou dar todos os detalhes porque também não sei. Eu não estava lá porque sou um cachorro e não me permitem entrar em um tribunal. As únicas impressões que tenho do julgamento são as imagens e cenas fantásticas que inventei em meus sonhos. Os únicos fatos que conheço são aqueles que reuni das conversas de Denny; a única idéia que tenho de uma sala de tribunal, como já disse, é o que vi em meus filmes e programas de TV favoritos. Juntei os fatos esses dias como alguém que junta as peças de um quebra-cabeças incompleto — a moldura está acabada, os cantos estão completos, mas estão faltando muitas peças do meio.

O primeiro dia no tribunal foi dedicado às moções prejulgamento; o segundo, à seleção do júri. Denny e Mike não falaram muito sobre esses acontecimentos, por isso imagino que tudo tenha corrido de acordo com o que era esperado. Nos dois dias, Tony e Mike chegaram em nosso apartamento de manhã bem cedo; Mike acompanhou Denny até o tribunal enquanto Tony ficou para cuidar de mim.

Tony e eu não fazíamos muita coisa quando estávamos juntos. Ficávamos sentados lendo jornal, ou saíamos para um passeio rápido, ou íamos até o Bauhaus para que ele pudesse checar seus e-mails pelo serviço de internet grátis. Gostava do Tony, apesar de ele ter lavado meu cachorro de pelúcia alguns anos antes. Ou talvez por causa disso. Aquele cachorro, coitado, acabou ficando tão gasto que os fios ficaram soltos e ele foi parar na lata de lixo sem nenhuma cerimônia, sem nenhum discurso fúnebre. "Meu cachorro", foi tudo que pensei em dizer. Meu cachorro. E fiquei vendo quando Denny o jogou na lata de lixo e baixou a tampa, e isso foi tudo.

Na terceira manhã, havia uma mudança sensível no ar quando Tony e Mike chegaram. Havia muito mais tensão, menos brincadeiras banais, nenhuma piadinha. Era o dia em que o caso iria começar para valer; estávamos todos ansiosos. O futuro de Denny estava em jogo, e não havia motivo para rir.

Aparentemente, eu soube depois, o dr. Lawrence fez uma apresentação apaixonada. Concordava com a afirmação da acusação de que o assédio sexual era uma demonstração de agressividade, mas afirmou que alegações infundadas eram uma arma igualmente destrutiva, e também uma questão de agressão. E prometeu que iria provar que Denny era inocente das acusações que pesavam contra ele.

A acusação apresentou o caso com um desfile de testemunhas: todas elas haviam estado conosco durante aquela semana em Winthrop, e todas testemunharam sobre a conduta inadequada de Denny, flertando e andando atrás de Annika. Sim, eles concordavam, ela participara do jogo, mas era apenas uma criança! (Como Lolita, teria gritado Spencer Tracy.) Denny era um homem forte, inteligente, bem-apessoado, disseram as pessoas, e deveria ter agido de outra forma. Um por um, eles descreveram uma história em que Denny manobrara dissimuladamente para ficar perto de Annika, para passar por ela, para segurar sua mão ilicitamente. Cada testemunha foi seguida por outra ainda mais convincente, e depois outra. Até que, finalmente, a própria vítima foi chamada a testemunhar.

Usando saia discreta e blusa de gola alta, o cabelo preso atrás e os olhos baixos, Annika começou a relacionar cada olhar e cada suspiro, cada toque acidental e cada raspão. Ela admitiu que tinha sido cúmplice porque fora receptiva, e até ávida, mas insistiu que, como criança, não sabia no que estava se metendo. Visivelmente angustiada, ela falou sobre como todo aquele episódio a atormentava desde então.

Atormentava de que maneira, eu teria perguntado: em razão da sua inocência ou do sentimento de culpa? Mas eu não estava lá para fazer a pergunta. Quando o testemunho de Annika terminou, não havia uma única pessoa no tribunal, exceto o próprio Denny, que não estivesse absolutamente convencida de que ele havia tomado liberdades com ela naquela semana. E até mesmo a própria confiança de Denny em si mesmo estava abalada.

•••

No começo daquela tarde — era uma quarta-feira —, o tempo estava opressivo. As nuvens estavam carregadas, porém a chuva se recusava a cair. Tony e eu andamos até o Bauhaus para que ele pudesse tomar seu café. Sentamos do lado de fora e ficamos olhando o trânsito da Pine Street até que minha mente apagou e eu perdi a noção do tempo.

— Enzo...

Ergui a cabeça. Tony guardou o celular no bolso.

— Era o Mike. O advogado da acusação pediu um recesso especial. Está acontecendo alguma coisa.

Ele parou, esperando minha resposta. Eu não disse nada.

— O que é que nós devemos fazer? — ele perguntou.

Lati duas vezes. Devíamos ir.

Tony fechou o computador e pegou sua pasta. Descemos a Pine depressa e atravessamos a passarela que ficava sobre a via expressa. Ele estava indo muito rápido e eu sofria para acompanhá-lo. Quando ele sentiu a coleira esticada, olhou para trás e diminuiu o ritmo.

— Precisamos nos apressar se quisermos alcançá-los — ele explicou. Eu também queria alcançá-los. Mas meus quadris estavam doendo. Passamos pelo Paramount Theater e pegamos a Fifth Avenue. Corremos em direção ao sul, ziguezagueando pelas faixas de pedestres até chegarmos à praça diante do tribunal de justiça na Third Avenue.

Mike e Denny não estavam lá. Havia apenas um pequeno grupo de pessoas reunidas em um canto da praça, falando nervosamente, gesticulando, agitadas. Caminhamos naquela direção. Talvez soubessem o que estava acontecendo. Mas nesse momento a chuva começou a cair. O grupo se dispersou imediatamente, e eu vi Annika entre eles. Seu rosto estava tenso e pálido; ela chorava. Quando me viu, recuou, virou-se rapidamente e desapareceu no edifício.

Por que estaria tão angustiada? Eu não sabia, mas fiquei muito nervoso. O que poderia estar acontecendo dentro daquele edifício, nas câmaras sombrias da justiça? Que mais ela poderia ter dito para incriminar Denny e destruir sua vida? Como rezei por algum tipo de intervenção, para que o espírito de Gregory Peck ou de Jimmy Stewart ou de Raul Julia descessem sobre a praça e nos guiassem até a verdade. Para que

Paul Newman ou Denzel Washington descessem de um ônibus e fizessem um discurso inflamado que esclareceria toda aquela situação.

Tony e eu nos refugiamos debaixo de um toldo; estávamos tensos. Algo estava acontecendo, e eu não sabia o que era. Desejei poder participar do processo, entrar na sala do tribunal, subir na mesa e me fazer ouvir. Contudo a minha participação não fazia parte dos planos.

— Está acabado — Tony falou. — Não podemos mudar o que já foi decidido.

Não podemos? Fiquei pensando. Nem um pouquinho? Será que não podemos desejar o impossível? Será que não podemos usar o poder da nossa força de vida para mudar algo? Algo pequeno, um momento insignificante, uma respiração, um gesto? Não há nada que possamos fazer para mudar o que está ao nosso redor?

Minhas pernas estavam tão pesadas que eu não conseguia mais ficar em pé; deitei no concreto úmido, e caí num sono agitado cheio de sonhos muito estranhos.

•••

— Senhoras e senhores do júri — disse o dr. Lawrence, parado diante da bancada dos jurados. —, é importante observar que o caso apresentado pela acusação é inteiramente circunstancial. Não existe nenhuma evidência de violação. Somente duas pessoas sabem a verdade a respeito do que realmente aconteceu naquela noite. Duas pessoas e um cachorro.

— Um cachorro? — perguntou o juiz incrédulo.

— Sim, juiz Van Tighem — respondeu o dr. Lawrence, dando um passo à frente. — Todos os acontecimentos foram testemunhados pelo cão do acusado. Eu chamo Enzo à tribuna.

— Objeção! — ganiu a acusação.

— Aceita — disse o juiz. — Por enquanto.

Ele tirou um grande volume de baixo da mesa e folheou-o detidamente, lendo muitas passagens.

— Esse cachorro fala? — o juiz perguntou ao dr. Lawrence, a cabeça ainda enfiada no livro.

— Com a ajuda de um sintetizador de voz — explicou o dr. Lawrence —, sim, o cão fala.

— Objeção! — insistiu a acusação.

— Ainda não — tornou o juiz. — Fale sobre esse equipamento, doutor Lawrence.

— Nós emprestamos um sintetizador de voz especial que foi desenvolvido para Stephen Hawking[*] *— continuou o dr. Lawrence. — Ele consegue ler os impulsos elétricos do cérebro.*

— É o suficiente. O senhor me convenceu ao mencionar Stephen Hawking!

— Com o equipamento, o cachorro pode falar.

O juiz fechou o livro maciço.

— Objeção rejeitada. Vamos ouvir, então, o cachorro. Vamos ouvi-lo.

A sala estava tomada por centenas de pessoas, e eu estava sentado no banco das testemunhas, preso ao simulador de voz de Stephen Hawking; o juiz me apresentou o juramento.

— Jura dizer a verdade, toda a verdade e nada além da verdade, em nome de Deus?

— Juro — eu falei com uma voz estridente e metálica, que não tinha nada a ver com o que eu havia imaginado. Sempre imaginei que minha voz seria mais impositiva e forte, como a de James Earl Jones.[**]

— Doutor Lawrence — o juiz continuou, atônito —, a testemunha é sua.

---

* Na vida real, Hawking usava um teclado acoplado a um computador para controlar um sintetizador de voz, por intermédio do qual falava. (N. do E.)

** James Earl Jones é um ator norte-americano. É dele a voz de Darth Vader, o sinistro personagem de *Guerra nas Estrelas*, nos primeiros filmes da série. (N. do E.)

— Enzo — começou o dr. Lawrence —, você presenciou o alegado assédio?

— Sim — eu disse.

Subitamente, as galerias ficaram em silêncio. Subitamente, ninguém ousou mais falar, murmurar, nem mesmo respirar. Eu falava, e eles escutavam.

— Conte com suas próprias palavras o que aconteceu no quarto do senhor Swift naquela noite?

— Eu vou contar. Mas, primeiro, gostaria de ter permissão para me dirigir à corte.

— Prossiga — permitiu o juiz.

— A verdade está dentro de cada um de nós; a verdade absoluta. Mas às vezes a verdade se esconde em uma sala de espelhos. Às vezes acreditamos que estamos vendo o que é verdadeiro, quando na verdade estamos vendo uma cópia, uma distorção. Ouvindo este julgamento, lembrei-me da cena de um filme de James Bond, 007 Contra o Homem com a Pistola de Ouro. James Bond escapou da sala de espelhos quebrando o vidro, destruindo as ilusões, até que somente o vilão verdadeiro estivesse diante dele. Nós também precisamos quebrar os espelhos. Precisamos olhar para nós mesmos e arrancar as distorções até que essa coisa perfeita e verdadeira que sabemos existir em nossos corações fique diante de nós. Somente então haverá justiça.

Olhei para os rostos na sala e vi cada um deles refletindo sobre minhas palavras, acenando a cabeça afirmativamente.

— Não aconteceu nada entre eles — disse eu finalmente. — Absolutamente nada.

— Mas ouvimos tantas coisas da acusação — disse o dr. Lawrence.

— Meritíssimo — ergui minha voz —, senhoras e senhores do júri. Garanto que o meu dono, Dennis Swift, não agiu de forma inapropriada com essa jovem, Annika. Para mim estava claro que ela o desejava mais do que qualquer outra coisa no mundo, e ela se ofereceu *a ele. Ele recusou a oferta. Depois de ter dirigido por uma passagem nas montanhas, depois de ter ficado exausto, usando toda a sua energia física para nos levar em segurança para casa, Denny é culpado apenas de ter caído no sono. Annika, essa moça, essa mulher, sem se dar conta das conseqüências de seus atos, atacou o meu Denny.*

Surgiu um murmúrio nas galerias.

— Senhorita Annika, isso é verdade? — perguntou o juiz.

— É verdade — Annika respondeu.

— Nega essas acusações? — perguntou Van Tighem.

— Sim. Eu sinto tanto pela dor que causei a todos vocês! Eu nego — disse Annika.

— Esta é uma revelação surpreendente! — anunciou Van Tighem. — Enzo, o cão, falou! Agora sabemos a verdade. Este caso está encerrado. Senhor Swift, o senhor está livre para ir, e ficará com a custódia de sua filha.

Eu pulei da bancada das testemunhas e abracei Denny e Zoë. Finalmente éramos uma família; estávamos juntos de novo.

•••

— Acabou.

Era a voz do meu dono.

Abri os olhos. Denny estava em pé, ao lado de Mike e do dr. Lawrence, que carregava um guarda-chuva bem grande. Não sabia quanto tempo havia passado. Mas Tony e eu estávamos muito molhados por causa da chuva.

— Aquele recesso foram os quarenta e cinco minutos mais longos da minha vida — Denny confessou.

Fiquei esperando a resposta.

— Ela desmentiu — ele disse. — Eles retiraram as acusações.

Ele se esforçava, eu sei, mas estava com dificuldade para respirar.

— Eles retiraram as acusações, e eu estou livre de tudo isso.

Denny talvez tivesse conseguido segurar o que sentia se estivéssemos sozinhos, mas Mike o abraçou, e Denny deixou escapar todos os anos de lágrimas que haviam ficado estancadas atrás de lama e determinação, e da habilidade para encontrar sempre um outro dedo para tampar o vazamento. Ele chorou muito.

— Obrigado, doutor Lawrence — Tony falou, apertando a mão do dr. Lawrence. — O senhor fez um ótimo trabalho.

O dr. Lawrence sorriu, provavelmente pela primeira vez na vida.

— Eles não tinham evidências físicas — ele disse. — Tudo que tinham era o testemunho de Annika. E dava pra ver que ela estava hesitante, que havia mais alguma coisa que ela queria dizer. Por isso fui incisivo nas perguntas, e ela não agüentou. Ela disse que até agora estava dizendo às pessoas o que *esperava* que tivesse acontecido. Hoje ela admitiu que nada ocorreu. Sem seu testemunho, seria tolice se a acusação insistisse em prosseguir com o caso. Era isso o que ela havia dito? Fiquei imaginando onde ela estava, o que estaria pensando. Olhei ao redor da praça e notei que estava saindo do tribunal com sua família. Ela parecia frágil.

Ela também nos viu. Não era uma pessoa má, eu sabia. Não se pode ficar irritado com outro piloto por um incidente na pista. Só podemos ficar irritados conosco por estarmos no lugar errado na hora errada.

Ela acenou rapidamente para Denny, mas fui o único a ver porque era o único que estava olhando. Por isso eu lati, para que ela soubesse.

— Você tem um bom dono — Tony disse para mim, sua atenção voltada para nosso grupo, apenas.

Ele estava certo. Eu tenho o melhor dono.

Fiquei olhando para Denny balançando de um lado para outro no abraço com Mike, sentindo o alívio, a libertação, sabendo que, embora outro caminho talvez tivesse sido mais fácil, não poderia ter lhe dado tanta alegria e satisfação.

57

No dia seguinte, o dr. Lawrence informou a Denny que os Gêmeos Malvados haviam desistido do processo pela custódia. Zoë era dele. Os Gêmeos haviam pedido 48 horas para arrumar suas coisas e passar um pouco mais de tempo com ela antes de entregá-la ao pai, mas ele não tinha obrigação de aceitar.

Denny poderia ter sido cruel. Poderia ter sido vingativo. Eles haviam tomado anos de sua vida, tinham tirado todo o seu dinheiro, haviam impedido que trabalhasse, tentaram destruí-lo. Mas Denny é um cavalheiro. Tem compaixão por seus semelhantes. Aceitou o pedido deles.

Ele estava fazendo biscoitos à noite imaginando o retorno de Zoë, sovando a massa como costumava fazer, quando tocou o telefone. Como as suas mãos estavam sujas, ele apertou o botão do viva-voz no aparelho da cozinha.

— Alô. Você está no viva-voz — ele avisou alegremente. — Estou ouvindo.

Houve uma longa pausa cheia de estática.

— Gostaria de falar com Dennis Swift.

— É Denny quem está falando — respondeu ele, ainda sovando a massa na tigela. — O que deseja?

— Aqui é Luca Pantoni. Estou retornando seu telefonema. De Maranello. Liguei numa hora ruim?

Denny ergueu as sobrancelhas e sorriu para mim.

— Luca! *Grazie* por ter retornado. Estou fazendo biscoitos, por isso liguei o viva-voz. Espero que não se importe.

— Sem problemas.

— Luca, eu telefonei porque... os problemas que me obrigavam a permanecer nos Estados Unidos foram resolvidos.

— Posso ver pelo tom da sua voz que foram resolvidos satisfatoriamente — Luca observou.

— Sim, foi isso o que aconteceu — Denny falou. — Estava pensando se aquele emprego que você me ofereceu ainda está disponível...

— Claro que está.

— Minha filha e eu, e o meu cachorro, Enzo, gostaríamos muito de ir jantar com você em Maranello.

— O nome do seu cachorro é Enzo? Que interessante!

— Ele tem o coração de um piloto de corridas — Denny respondeu e sorriu para mim. Eu o amo tanto! Sei tudo a seu respeito e ele ainda consegue me surpreender. Ele havia telefonado para Luca!

— Estou esperando para conhecer sua filha e encontrar Enzo novamente — Luca falou. — Meu assistente tomará todas as providências. Será necessário fazer um contrato de prestação de serviços. Espero que você entenda. A natureza do nosso negócio, e as despesas para desenvolver um piloto de testes...

— Eu entendo — Denny respondeu, colocando a massa nas forminhas de biscoitos.

— Você está disposto a um contrato de três anos? — Luca perguntou. — Sua filha não vai se importar de mudar para cá? Há uma escola americana, se ela a preferir às escolas italianas.

— Ela me disse que gostaria de tentar uma escola italiana — Denny falou. — Teremos de ver o que acontece. De qualquer forma, ela sabe que será uma grande aventura, e está bastante entusiasmada. Está estudando com um livro infantil que eu lhe dei algumas frases em italiano. Ela disse que já sabe pedir uma pizza em italiano, e ela adora pizza.

— *Bene*! Eu também adoro pizza! Gosto da maneira de pensar da sua filha, Denny. Fico muito satisfeito por fazer parte desse seu recomeço.

Denny se concentrou nos biscoitos, praticamente esquecido do telefonema.

— Meu assistente entrará em contato com você, Denny. Nós nos veremos em algumas semanas.

— Sim, Luca, obrigado. — *Plop, plop*; a massa sendo sovada. — Luca?

— *Sì*?

— Agora você vai me dizer por quê?

Houve uma longa pausa.

— Eu prefiro contar...

— Sim, eu sei, Luca. Eu sei. Mas ajudaria tanto se pudesse me dizer agora. Para que eu pudesse ficar tranqüilo.

— Entendo sua necessidade — Luca falou. — Vou contar. Muitos anos atrás, quando minha esposa faleceu, eu quase morri de tanto sofrimento.

— Sinto muito — Denny falou, parando de mexer com a massa de biscoitos, apenas ouvindo.

— Obrigado — Luca agradeceu. — Demorei muito tempo para saber como responder às pessoas que me ofereciam suas condolências. Uma coisa tão simples, mas cheia de dor. Tenho certeza de que você entende.

— Sim, entendo.

— Eu *teria* morrido por causa da dor, Denny, se não tivesse recebido ajuda, se não tivesse encontrado um mentor que me oferecesse um apoio efetivo. Você entende? Meu antecessor nesta empresa me ofereceu um emprego para pilotar seus carros. Ele salvou minha vida, não apenas por mim, mas também por meus filhos. Esse homem faleceu recentemente — estava bem velho —, mas às vezes ainda vejo seu rosto, ouço sua voz, e me lembro dele. O que ele me ofereceu não é para ficar guardado, mas para que eu ofereça a outros. É por isso que me sinto afortunado por poder lhe oferecer esta oportunidade.

Denny olhou para o telefone como se estivesse olhando para Luca.

— Obrigado, Luca, pela força, e por ter me contado por que me fez a oferta.

— Meu amigo — disse Luca —, o prazer é inteiramente meu. Agora, seja bem-vindo à Ferrari! Garanto que você não vai querer nos abandonar.

Eles se despediram, e Denny apertou o botão com o único dedo limpo. Agachou-se e estendeu as mãos gosmentas para mim; eu gentilmente as lambi até limpá-las.

— Às vezes eu acredito — ele me disse, enquanto eu me deliciava com a doçura de suas mãos, dos seus dedos, dos seus polegares. — Às vezes eu realmente acredito.

58

A manhã surge lentamente no horizonte e espalha a sua luz pela terra. Minha vida parece tão longa e tão curta ao mesmo tempo. As pessoas falam de uma vontade de viver. Raramente falam de uma vontade de morrer. Porque as pessoas têm medo da morte. A morte é escura e desconhecida, e assustadora. Mas não para mim. Não é o fim.

Posso ouvir Denny na cozinha. Posso sentir o cheiro do que ele está fazendo; ele está preparando o café, algo que costumava fazer sempre quando nossa família estava junta, quando Eve e Zoë estavam conosco. Depois que elas se foram, Denny passou a comer só cereal.

Com todas as forças que me restam no corpo, fiquei em pé. Apesar de estar com os quadris congelados e as pernas ardendo de dor, eu me arrasto até a porta do quarto.

A velhice é uma coisa patética. É cheia de limitações e reduções. Ocorre com todos nós, eu sei; mas acho que isso não deveria ser necessário. Acho que acontece com aqueles que pedem. E, com nossa mentalidade atual, nosso tédio coletivo, é o que escolhemos fazer. Mas algum dia nascerá uma criança mutante que se recusará a envelhecer, que se recusará a aceitar as limitações do corpo, que viverá com saúde até estar resolvida com a vida, e não até que seu corpo não agüente mais. Viverá por centenas de anos, como Noé. Como Moisés. Os genes dessa criança passarão para seus descendentes, e virão outras crianças como ela. E sua composição genética irá suplantar os genes daqueles que precisam envelhecer e ficar decadentes antes de morrer. Acredito que um dia isso vai passar; mas esse mundo está além do meu alcance.

— Oi, Zo — ele me chama ao me ver. — Como está se sentindo?

— Uma droga — eu respondo. Mas é claro que ele não me ouve.

— Fiz panquecas pra você.

Eu me forço a abanar o rabo; realmente não deveria, porque isso mexe com a minha bexiga e eu sinto umas gotas quentes caindo no meu pé.

— Tudo bem, rapaz — ele diz. — Deixe comigo.

Ele limpa a sujeira e me dá um pedaço de panqueca. Pego com a boca, no entanto não consigo mastigar, não consigo sentir o gosto. Fica na minha língua até finalmente cair no chão. Acho que Denny percebe, mas ele não diz nada, continua a fazer as panquecas e a colocá-las na mesa para esfriarem.

Não quero que Denny se preocupe comigo. Não quero forçá-lo a me levar para uma visita só de ida ao veterinário. Ele me ama tanto! A pior coisa que eu poderia fazer a Denny seria permitir que ele me machucasse. O conceito da eutanásia tem algum mérito, sim, mas é muito carregado de emoção. Prefiro a idéia de suicídio assistido, que foi desenvolvida por um médico inspirador, o Dr. Kevorkian. É uma máquina que permite ao doente apertar um botão e assumir a responsabilidade pela própria morte. Não há nada de passivo na máquina do suicídio. Um grande botão vermelho. Aperte ou não. É o botão da absolvição.

Tenho vontade de morrer. Talvez, quando eu for homem, invente uma máquina de suicídio para cães.

Quando eu voltar para este mundo, serei um homem. Vou caminhar entre vocês. Vou passar a língua pequena pelo lábio. Cumprimentarei outros homens com um aperto de mão, segurando firme com meus polegares. E ensinarei às pessoas tudo que sei. E, quando encontrar um homem ou uma mulher, ou uma criança com problemas, estenderei minha mão, tanto metafórica quanto fisicamente. Oferecerei minha mão. Para ele. Para ela. Para você. Para o mundo. Serei um bom cidadão, um bom parceiro nesse desafio de viver que todos compartilhamos.

Vou até Denny, e empurro meu focinho contra sua coxa.

— Este é o meu Enzo — ele diz.

E estende o braço instintivamente; estamos juntos há tanto tempo! Ele toca o alto da minha cabeça, e seus dedos coçam a minha orelha. O toque de um homem.

Minhas pernas falham e eu caio.

— Zo?

Ele fica assustado. Ele se agacha ao meu lado.

— Você está bem?

Estou bem. Estou ótimo. Estou. Estou.

— Zo?

Ele desliga o fogo da frigideira. Coloca a mão em meu coração. A batida que ele sente, se é que sente algo, não é muito forte.

Nos últimos dias, tudo mudou. Ele vai voltar a ficar com Zoë. Eu gostaria de ver esse momento. Eles vão juntos para a Itália. Para Maranello. Viverão em um apartamento na pequena cidade, e vão dirigir um Fiat. Denny será um piloto maravilhoso para a Ferrari. Posso vê-lo, já um *expert* na pista porque ele é tão rápido, tão inteligente! Eles verão seu talento e o tirarão das fileiras dos pilotos de teste para lhe dar uma chance na equipe de Fórmula 1. Escuderia Ferrari. Ele será escolhido para substituir o insubstituível Schumacher.

— Pode me testar — ele dirá, e eles o farão.

Eles verão seu talento e farão dele um piloto, e logo ele será um campeão da Fórmula 1, como Ayrton Senna. Como Juan Manuel Fangio. Jim Clark. Como Jackie Stewart, Nelson Piquet, Alain Prost, Niki Lauda, Nigel Mansell. Como Michael Schumacher. O meu Denny!

Gostaria de ver isso. Tudo isso, a começar por esta tarde, quando Zoë vai voltar e ficar com seu pai novamente. Mas não acredito que terei a chance de ver esse momento. E, de qualquer forma, não cabe a mim decidir. Minha alma aprendeu o que veio aprender, e todas as outras coisas são apenas coisas. Não podemos ter tudo o que queremos. Às vezes, nós simplesmente temos de acreditar.

— Está tudo bem — ele diz. Ele coloca minha cabeça em seu colo. Eu posso vê-lo.

Sei algumas coisas sobre correr na chuva. Sei que tem a ver com equilíbrio. Tem a ver com antevisão e paciência. Sei quais são as habilidades necessárias para que um piloto se dê bem na chuva. Mas correr na chuva também tem a ver com a *mente*! Tem a ver com o controle do próprio corpo. Acreditar que o carro é mera extensão do próprio corpo. Acreditar que a pista é uma extensão do carro, e a chuva é uma extensão da pista, e o céu é uma extensão da chuva. Acreditar que você não é você; você é tudo. E tudo é você.

Os pilotos são sempre chamados de egoístas e egocêntricos. Eu mesmo já chamei egoístas alguns pilotos de corrida. Para ser um campeão, você não deve ter ego algum. Você não deve existir como uma entidade à parte. Você deve se entregar para a corrida. Você não seria nada se não fossem a sua equipe, o seu carro, os seus sapatos, os seus pneus. Não confunda confiança e autoconsciência com egoísmo.

Uma vez eu vi um documentário. Falava dos cães na Mongólia. Dizem que a encarnação seguinte do cachorro — um cão que está pronto para deixar suas qualidades de cachoro para trás — é como homem.

Eu estou pronto.

E mesmo assim...

Denny está tão triste; vai sentir tanto a minha falta. Eu preferiria ficar com ele e Zoë aqui neste apartamento e ver as pessoas na rua lá embaixo enquanto conversam umas com as outras e se cumprimentam com as mãos.

— Você sempre esteve comigo — Denny fala para mim. — Você sempre foi o meu Enzo.

Sim. Eu fui. Ele está certo.

— Está tudo bem. Se precisar ir agora, pode ir.

Eu viro a cabeça, e ali, diante de mim, está a minha vida. Minha infância. Meu mundo.

Meu mundo está ao meu redor. Em torno dos campos de Spangle, onde eu nasci. As colinas cobertas de grama dourada que balançavam com o vento e faziam cócegas na minha barriga quando eu andava. O céu de um azul tão perfeito e o sol tão redondo!

Eis o que eu queria. Brincar naqueles campos mais um pouco. Passar um pouco mais de tempo sendo eu mesmo antes de me tornar outro alguém. É disso que eu gostaria.

E fico imaginando: será que gastei todas as minhas qualidades de cachorro? Será que abandonei minhas qualidades por causa dos meus desejos? Será que cometi um erro antevendo meu futuro e me afastando do meu presente?

Talvez. Um embaraçoso arrependimento no leito de morte. Que coisa mais boba.

— Quando o vi pela primeira vez — ele diz —, sabia que ficaríamos juntos.

Sim! Eu também!

— Está tudo bem.

Uma vez eu vi um filme. Um documentário. Na televisão, que eu costumo assistir bastante. Denny uma vez me disse para não assistir tanto. Eu vi um documentário sobre cachorros na Mongólia. Dizia que, depois de morrerem, os cachorros voltavam como homens. Mas havia outra coisa...

Sinto sua respiração quente em meu pescoço, suas mãos. Ele se inclina sobre mim, embora eu não consiga mais vê-lo; ele se inclina sobre a minha orelha.

Os campos são tão amplos que eu poderia correr para sempre em uma direção e depois correr para sempre na outra, de volta. Não há fim para esses campos.

— Está tudo bem, garoto — ele fala suave, delicadamente em minha orelha.

Lembrei! O documentário dizia que, depois que o cachorro morre, sua alma é libertada para o mundo que nos cerca. Sua alma é libertada para correr o mundo, correr pelos campos, aproveitar a terra, o vento, os rios, a chuva, o sol, o...

Quando um cachorro morre, sua alma é libertada para correr até que esteja pronto para renascer. Eu lembro.

— Tudo bem.

Quando eu renascer como homem, vou encontrar Denny. Vou encontrar Zoë. Vou andar até eles e cumprimentá-los com um aperto de mãos e dizer "Enzo mandou um oi". Eles vão ver.

— Você pode ir.

Diante de mim, eu vejo meu mundo: os campos ao redor de Spangle. Não existem cercas. Nem edifícios. Nem pessoas. Somos apenas eu e a grama e o céu e a Terra. Só eu.

— Eu o amo, garoto.

Dou alguns passos no campo, e parece tão bom, é tão bom sentir o ar fresco, sentir todos os cheiros ao meu redor. Sentir o sol no meu pêlo. Sinto que estou aqui.

— Você pode ir.

Reúno minhas forças e saio, e é bom, como se eu não tivesse idade, como se fosse atemporal. Ganho velocidade. Eu corro.

— Tudo bem, Enzo.

Eu não olho para trás, mas sei que ele está lá. Dou dois latidos porque quero que ele escute. Quero que ele saiba. Sinto seus olhos em mim, mas não me volto. Saio pelo campo, para a vastidão do universo à frente; eu corro.

— Você pode ir — ele diz para mim.

Mais rápido, o vento bate no meu rosto enquanto corro; mais rápido, sinto meu coração bater loucamente e dou dois latidos para dizer a ele, para dizer a todas as pessoas do mundo, para dizer *mais rápido*! Dou dois latidos para que ele saiba, para que lembre. O que eu quero agora é o que sempre quis.

Mais uma volta, Denny! Mais uma volta! *Mais rápido!*

ÍMOLA, ITÁLIA

Depois de tudo acabado, depois que a última corrida foi vencida, depois que o campeão da temporada foi coroado, ele senta sozinho na parte de dentro da curva Tamburello, na grama encharcada por muitos dias de chuva. Figura resplandecente em seu macacão Nomex vermelho-ferrari, coberto com o nome dos muitos patrocinadores que o querem como figura de proa, como ícone, como aquele que podem apresentar ao mundo como seu símbolo; o campeão está sozinho. No Japão, Brasil, Itália, Europa, em todo o mundo as pessoas celebram sua vitória. Nos *trailers* e nas salas do fundo, os outros pilotos, alguns dos quais têm a metade da sua idade, se cumprimentam admirados. Ter conquistado o que ele conquistou. Ter agüentado o que ele agüentou. Ter se tornado um campeão de Fórmula 1 do nada. Na sua idade. Só mesmo em contos de fadas.

Um carrinho motorizado de golfe pára na pista perto dele, dirigido por uma jovem de cabelos longos e dourados. Com ela, no carrinho, estavam duas outras figuras, uma larga e outra pequena.

A jovem salta do carrinho e caminha na direção do campeão.

— Papai? — ela o chama.

Ele ergue os olhos para ela, embora desejasse ficar só por mais algum tempo.

— Eles são grandes fãs — ela diz.

Ele sorri e revira os olhos. A idéia de que possa ter fãs — grandes ou pequenos — é muito boba para ele, e algo a que precisa se acostumar.

— Não, não — ela diz, porque sabia dos seus pensamentos praticamente antes que ele pudesse pensá-los. — Eu acho que você realmente gostaria de conhecê-los.

Ele concorda com a cabeça porque ela sempre está certa. Ela mostra as duas pessoas que estão no carro. O homem salta do carro, enfiado em uma capa de chuva. Depois uma criança. Eles caminham na direção do campeão.

— *Dení!* — diz o homem.

Ele não os reconhece. Ele não sabe quem são eles.

— *Dení! Speravamo di trovarla qui!*

— *Eccomi* — responde o campeão.

— *Dení*, somos seus maiores fãs. Sua filha nos trouxe para vê-lo. Ela disse que você não se importaria.

— Ela me conhece — fala o campeão cordialmente.

— Meu filho — apresenta o homem. — Ele adora você. Está sempre falando a seu respeito.

O campeão olha para o menino, que é pequeno e tem traços marcantes, olhos azuis e cabelo encaracolado.

— *Quanti anni hai?* — ele pergunta.

— *Cinque* — responde o garoto.

— Você corre?

— Ele está correndo com cartes — responde o pai. — Ele é muito bom. Quando sentou pela primeira vez em um carte, já sabia como pilotar. Para mim é muito caro, mas ele é tão bom, tão talentoso, que continuo deixando-o praticar.

— *Bene, che bello* — diz o campeão.

— Poderia autografar nosso programa? Assistimos à corrida daquele campo. A arquibancada é muito cara. Viemos de Nápoles de carro.

— Claro — diz o campeão para o pai. Ele pega o programa e a caneta. — *Come ti chiami?* — ele pergunta ao menino.

— Enzo — diz o garoto.

O campeão ergue os olhos, atônito. Fica parado por um momento. Ele não escreve. Ele não fala.

— *Enzo?* — ele indaga por fim.

— *Si* — diz o garoto. — *Mi chiamo Enzo. Anch'io voglio diventare un campione.*

Atônito, o campeão olha para o menino.

— Ele diz que quer ser um campeão — o pai traduz, sem entender o silêncio do piloto. — Como você.

— *Ottima idea* — diz o campeão, mas continua olhando para o menino até perceber que está olhando há muito tempo e balança a cabeça para parar com aquilo. — *Mi scusi* — ele fala. — Seu filho me lembra um grande amigo.

Ele percebe o olhar da filha, então autografa o programa do menino e estende a mão para o pai, que lê o que ele escrevera.

— *Che cos'é?* — pegunta o pai.

— É o número do meu telefone em Maranello — responde o campeão. — Quando achar que seu filho está pronto, telefone. Farei com que receba o treinamento adequado e uma oportunidade para correr.

— *Grazie! Grazie mille!* — agradece o homem. — Ele sempre fala de você. Ele diz que você é o melhor campeão de todos os tempos. Ele diz que você é melhor até do que o Senna!

O campeão levanta, o macacão ainda úmido por causa da chuva. Ele faz um carinho na cabeça do garoto, mexendo em seu cabelo. O menino o encara.

— Ele tem coração de piloto — diz o campeão.

— *Grazie* — responde o pai. — Ele estuda suas corridas em fitas de vídeo.

— *La macchina va dove vanno gli occhi* — diz o garoto.

O campeão ri, depois olha para o céu.

— *Si* — ele concorda. — O carro vai para onde vão seus olhos. É verdade, meu jovem amigo. É a mais pura verdade.

AGRADECIMENTOS

Obrigado às pessoas maravilhosas da Harper, especialmente Jennifer Barth, Tina Andreadis, Christine Boyd, Jonathan Burnham, Kevin Callahan, Michael Morrison, Kathy Schneider, Brad Wetherell, Leslie Cohen; à minha fantástica equipe na Folio Literary Management, em especial a Jeff Kleinman, Ami Greko, Adam Latham, Anna Stein; a meus facilitadores e especialistas residentes, entre — mas não apenas — eles, Scott Driscoll, Jasen Emmons, Joe Fugere, Bob Harrison, Soyon Im, Doug Katz, David Katzenberg, Don Kitch Jr., Michael Lord, Layne Mayheu, Kevin O'Brien, Nick O'Connell, Luigi Orsenigo, Sandy e Steve Perlbinder, Jenn Risko, Bob Rogers, Paula Schaap, Jennie Shortridge, Marvin e Landa Stein, Dawn Stuart, Terry Tirrell, Brian Towey, Cassidy Turner, Andréa Vitalich, Kevin York, Lawrence Zola...

Caleb, Eamonm e Dashiell... e àquela que torna o meu mundo possível,

Drella.